D0989028

BERNARD ASSINIWI

Faites votre vin vous-même

LEMÉAC

Introduction à l'art de faire son vin

Avez-vous déjà fabriqué des modèles réduits ?

Ou fait marcher un train électrique ?

Ou encore, manœuvré des autos de course miniatures ?

Avez-vous trouvé plaisantes les heures passées à ces divertissements ? Sans doute et vous en gardez un bon souvenir ! Pourtant vous n'avez que très rarement l'occasion de retrouver ces *hobbies* une fois que les pistes et rails sont démontés et le modèle réduit démoli par un de vos fils.

Mais si vous entrez dans la ronde des fabricants de vins maison, il vous restera toujours quelque chose à montrer, à déguster ou à faire apprécier à vos invités. Il vous restera toujours quelques bonnes bouteilles d'un vin d'il y a six ou sept ans et que vous aurez précieusement conservées dans votre cave ou dans un sombre placard de votre appartement. Il vous restera toujours le goût, l'envie de voir les bulles d'oxyde de carbone s'échapper de la cruche de fermentation à travers l'eau et la bonde aseptique.

Il vous restera toujours cette envie d'expérimenter une autre marque de bon vin, de faire un bon sherry, un bon porto ou encore ... de produire votre propre mousseux.

Il vous fera alors chaud au cœur de songer que le vin peut être un compagnon de passe-temps en même temps qu'une raison d'être fier d'avoir réussi une cuvée de bonne qualité.

Pour moi, faire mon vin est devenu une passion et je passe la majeure partie de mon temps libre dans ma cave à vin.

Là, j'y fais fermenter une centaine de gallons par année des meilleures récoltes d'Europe.

J'y fermente du Beaujolais pour en avoir du nouveau chaque année, j'y laisse travailler du Chablis afin de me payer quelques bonnes bouteilles de champagne bien sec, j'y prépare avec douceur mon vin de Bordeaux et j'y laisse vieillir un Pommard corsé et fruité à souhait.

J'ai choisi de me créer une pièce bien à moi ou je peux me permettre toute les expériences de fabrication des meilleurs vins à des prix quatre et cinq fois inférieurs à ceux des mêmes vins achetés dans les magasins de la Société des Alcools ou dans les épiceries.

J'ai choisi d'entreposer des bouteilles pour laisser vieillir le seul breuvage au monde à s'améliorer en demeurant sédentairement étendu dans une cave noire et souvent humide.

Je fais du vin depuis que la seule méthode connue était celle d'acheter le raisin au marché, de le broyer, le presser, d'y ajouter les ferments nécessaires et d'espérer que la mouche du vinaigre ne s'infiltre pas dans votre baril pour y piquer votre cuvée et vous forcer à embouteiller 150 litres de jus pour les salades. De quoi en faire pendant quarante ans!

Je fais donc mon vin depuis le début des années soixante de façon sporadique, sans jamais avoir véritablement de cave à vin. La première fois, mon immense baril était dans le casier grillagé situé dans le sous-sol de l'immeuble que j'habitais alors.

Que de soirées passées à écouter le chant et les rires bulleux du chapeau formé par la pulpe des raisins en fermentation !

Que de plaisir à raconter à mes proches l'évolution du moût et l'espoir que je mettais dans ce baril ! Cent quatre-vingt litres d'espoir.

Et les résultats de cet amour témoignèrent des soins apportés à ce long processus naturel, si simple, et qui fait peur à bien des gens.

Simple ? Oui, simple. J'ai été presque « niaiseux » d'avoir si longtemps cru que c'était compliqué de faire du vin alors que la préparation d'une cuvée ne demande maintenant qu'une quinzaine de minutes et que la surveillance est réduite à quelques minutes par jour les sept premiers jours, puis quelques minutes par semaine puis par mois.

L'attrait de ce *hobby* vient du fait que, vous y intéressant, vous vous renseignez davantage sur la viticulture, vous préparez l'entreposage de vos bouteilles, vous préparez les ustensiles nécessaires à l'embouteillage de votre cuvée, etc.

Puisque vous avez des amis, ils vous donneront toutes leurs bouteilles vides ; vous irez les quérir et cela créera des liens d'amitié importants tout en ajoutant à votre vie sociale.

Faire votre propre vin vous permettra de passer d'agréables heures de lecture afin de vous renseigner sur les différentes méthodes des viticulteurs européens.

Vous adhérerez peut-être à un club de « fermenteurs » et vous participerez peut-être à des concours de dégustation.

Vous remporterez peut-être des prix d'excellence pour ce loisir qui coûte si peu mais, et c'est là le plus important, vous aurez fabriqué VOTRE PROPRE VIN.

Il sera là, à votre portée et pour vos besoins tant de dégustateur que de cuisinier averti.

Je vous invite donc à lire attentivement ce livre afin de bien vous rendre compte qu'en dépit des milliers de mots couchés sur ce papier, la recette de fabrication d'un bon vin n'occupe pas plus de la moitié d'une page de ce livre et pas plus de deux heures de votre temps par vingt litres de fabrication.

Bon *hobby* !

B.A.

L'ÉQUIPEMENT

LE MATÉRIEL DE BASE

Pour faire 5 fois 4 litres (5 gallons) de vin—Pour faire 10 fois 4 litres (10 gallons) de vin — Ma façon à moi de travailler — Pour faire une grande quantité d'un même vin — Pour faire plusieurs sortes de vins— Méthode continue de fabrication — Équipement facultatif —

POUR FAIRE 5 FOIS 4 LITRES (5 GALLONS) DE VIN

Il en coûte tellement peu pour s'équiper sommairement afin de satisfaire son besoin de 25 bouteilles de vin que le risque encouru par ces dépenses est nul.

Pour l'œnologue amateur dont les besoins sont de l'ordre de 20 litres (cinq gallons), il n'est besoin que de quelques pièces peu coûteuses:

- une cruche à goulot large contenant 30 litres (7 gallons);
- une cruche de verre de 20 à 22 litres (cinq gallons) à goulot étroit;
- un bouchon de caoutchouc troué;
- une bonde aseptique ou hydraulique; (le contenant de 30 litres peut aussi être de nylon ou de plastique, du type poubelle;
- un hydromètre, avec l'éprouvette;
- un bout de tuyau de plastique de 2 m par 7 mm pour le siphon.

Tout cet équipement ne vous coûtera pas plus que l'achat de deux bouteilles de scotch ou de rye et il vous servira pendant des années, réduisant le coût d'achat à chaque fermentation.

La cruche à goulot large servira au mélange des ingrédients et à la première fermentation. C'est la raison

PHOTO 1 ***Cuve de fermentation primaire***
Baril de plastique contenant 36 gallons ou 162 litres et muni d'un trou dans le couvercle pour y fixer une bonde hydraulique. Peut servir à faire du vin à partir de raisin frais ou de concentrés.

PHOTO 2 *Cuve de fermentation primaire ou secondaire*

Pour la transformation de concentrés de raisin en vin, cette cruche de 12 gallons ou de 54 litres est idéale mais son ouverture étroite la rend inutilisable lorsque des fruits sont utilisés. Toutefois, si vous fabriquez une grande quantité de vin, elle peut servir de cruche de fermentation secondaire.

PHOTO 3 *Cuves de fermentation primaire à large ouverture*

Ces deux cruches, à gauche en verre et en terre cuite à droite, servent surtout pour la fabrication de petites quantités de vin fait à partir de fruits. Toutefois elles peuvent être obtenues en format plus grand. La terre cuite est cependant très fragile et extrêmement lourde.

PHOTO 4 *Cuves de fermentation secondaire*

Ces cruches de cinq gallons, ou de 22,5 litres, sont sans doute les plus utiles de toutes les cuves de fermentation secondaire. Le col est très étroit et les gaz carboniques sont plus facilement évacués que dans une cuve à large goulot. Les dangers de contamination sont aussi moindres.

PHOTO 5 *Le siphon*

Une des pièces les plus importantes du processus de fabrication du vin. Deux mètres de tuyau de plastique et un embout rigide recourbé. À peine quelques dollars pour soutirer et clarifier le jus devenu vin.

PHOTO 6 ***Bondes hydrauliques ou aseptiques***

Un tout petit appareil rempli de métabisulfite de sodium, qui empêche l'air de gâter votre cuvée tout en laissant les gaz s'échapper. Cet appareil se fixe dans un bouchon de caoutchouc troué.

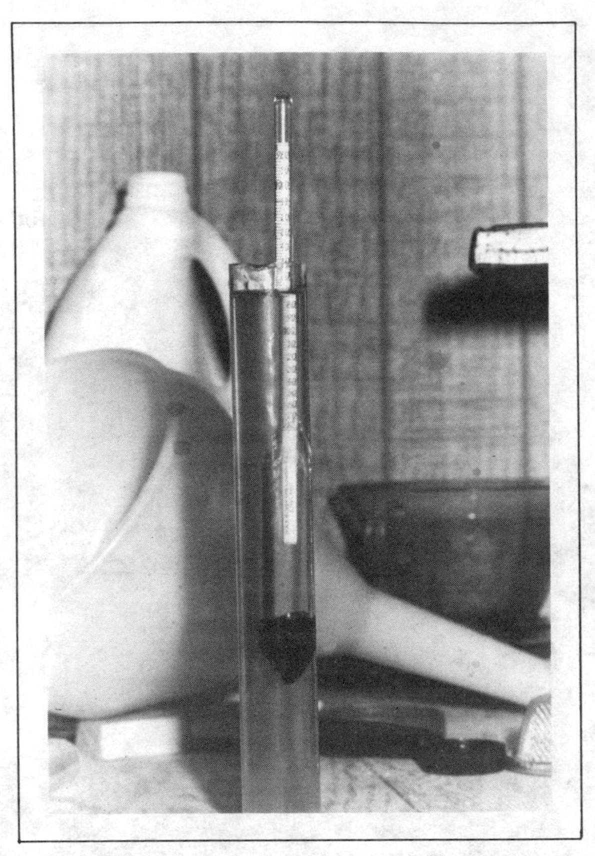

PHOTO 7 *Hydromètre*

L'appareil le plus important et le moins dispendieux de tout le processus de fabrication du vin. Il donne la densité du liquide, la quantité de sucre non transformée, vous avertit quand la fermentation est terminée et vous donne le pourcentage d'alcool du vin fini.

PHOTO 8 *Ensemble de débutant*

Pour celui qui veut tenter sa chance, un ensemble de débutant facilite la tâche d'acheter séparément les ingrédients et donc de risquer d'en oublier.
Une boîte de 100 onces (2,84 litres) de concentré qui vous fera environ 7 gallons (14,2 litres) de vin.
Un hydromètre, une éprouvette, un sachet de levure, de la nourriture de levure, du mélange acide, du tanin de raisin, des tablettes Campden, un siphon et une bonde hydraulique.
Il ne vous manque que les cuves.

pour laquelle elle doit contenir plus que la quantité que vous avez l'intention de faire.

La première fermentation dure de 5 à 8 jours après quoi il faut siphonner le moût pour le transvider dans la cruche de fermentation secondaire.

Le bouchon de caoutchouc troué recevra la bonde aseptique qui protégera votre vin de l'air, des mouches, de la poussière et ... du danger de faire du vinaigre au lieu de vin.

L'hydromètre vous permettra de connaître la progression de la transformation de votre jus de raisin en vin, en vous indiquant la densité de votre mélange et la teneur en sucre.

POUR FAIRE 10 FOIS 4 LITRES (10 GALLONS) DE VIN

Vous devenez un peu plus sérieux en fabriquant 40 litres à la fois et vous abaissez d'autant votre coût d'équipement. L'achat d'un équipement s'amortit avec la fréquence de l'utilisation et si le coût représente 50% de vos dépenses pour la première cuvée, à la dixième il n'en représente plus que 5% et c'est pourquoi il est important, non pas de faire 400 litres à la fois et de laisser votre équipement se détériorer pendant un an, mais de faire 10 fois 40 litres et d'utiliser ces instruments et outils au maximum. Bien sûr, pour faire dix gallons (10 × 4 litres) à la fois, une partie de l'équipement demeure le même, mais la fermentation primaire doit se faire dans un contenant plus grand.

1 cuve de fermentation primaire d'une capacité de 50 litres (12 gallons)

2 cruches de fermentation secondaire — 20 litres (5 gallons) chacune

2 bouchons troués
2 bondes hydrauliques
1 hydromètre avec l'éprouvette
1 bout de boyau de 2 m × 7 mm (7 pieds) × (1/4") pour le siphon

L'hydromètre et l'éprouvette sont les mêmes, et les cruches secondaires toujours de 20 litres (cinq gallons) (les plus utiles). Le siphon est le même et les bondes hydrauliques se multiplient avec le nombre de cruches de fermentation secondaire.

MA FAÇON À MOI DE TRAVAILLER

Je fais mon mélange par cuvée de 40 litres (dix gallons) et je multiplie les cruches de fermentation secondaire chaque fois que je commence une autre cuvée. Si je le voulais, tous les sept ou dix jours je pourrais débuter une autre cuvée d'un vin différent afin de me monter une vraie cave à vin.

POUR FAIRE UNE GRANDE QUANTITÉ D'UN MÊME VIN

Il est alors préférable de s'équiper d'un tonneau de nylon ayant servi à l'exportation d'olives noires, bien lavé à l'eau tiède et désinfecté au métabisulfite de sodium pour enlever l'odeur particulière, car un tonneau de chêne neuf demande un soin particulier et une préparation que nous vous indiquerons plus loin.

La fermentation primaire doit avoir lieu dans un contenant plus grand que la quantité que vous voulez transformer. La fermentation secondaire doit être faite dans des cruches ou touries (petites barriques de 40 litres (dix gallons) surmontées de bondes hydrauliques pour protéger le vin de l'air et des bactéries de vinaigre qui y flottent naturellement.

POUR FAIRE PLUSIEURS SORTES DE VINS

Désireux de me constituer une réserve de vins divers et séduit par ce *hobby* qui occuperait quelques minutes de mon temps chaque jour, j'ai planifié la fabrication de mon vin sur une base de dix mois et je peux donc fabriquer dix sortes de vins différents chaque année.
J'ai d'abord débuté par un vin de type Beaujolais, puis j'ai continué avec un Bordeaux, un Chablis, un Pommard puis un Valencia, un second blanc puis un Ruby Cabernet, un Chianti, un Corvo puis un second Valencia, question d'avoir un peu plus de vin corsé pour tous les jours.
Afin de me tenir occupé, ne serait-ce que cinq minutes par jour, et pour contempler mes cruches en écoutant monter les bulles de fermentation, voici comment je procède pour la fabrication de 400 litres (cent gallons) par an.

MÉTHODE CONTINUE DE FABRICATION

Prenons pour exemple que la fabrication du vin ne présente de risque que pendant les mois les plus chauds; il est donc possible de fabriquer son vin du 15 août au 15 juin sans trop de danger de perdre une cuvée.
Le 15 août, je fais un mélange de moût dans la cuve de fermentation primaire.
Sept jours plus tard, lorsque la densité de sucre est tombée à 1000, je siphonne le liquide pour le couler dans mes cruches de fermentation secondaire.
Un mois plus tard, je refais la même opération et il me faut alors deux cruches supplémentaires pour la fermentation secondaire.
Le troisième mois, je refais le même manège en ajoutant une cinquième et une sixième cruches de fermentation se-

condaire. Le quatrième mois, le vin du premier mois est prêt à être embouteillé, ou à mettre en gallons, ce qui libère les deux cruches de fermentation secondaire.

J'ai donc, à partir de ce quatrième mois, l'équipement nécessaire à la rotation des cruches pour la fabrication diversifiée de vins de qualité.

Il en coûte un peu plus que pour fabriquer 20 ou 40 litres (cinq ou dix gallons) mais cela garde l'équipement en état de fonctionnement, et votre humble conseiller se libère l'esprit de ses multiples problèmes quotidiens pendant quelques minutes par jour. Cela me permet, surtout d'offrir un choix de vins à mes invités et à un prix quatre et cinq fois inférieur à celui que nous payons pour l'équivalent en qualité dans les magasins de la Société des Alcools.

ÉQUIPEMENT FACULTATIF

Tout ce qui existe comme équipement possible et impossible servant à la transformation du jus de raisin en vin.

Cuves primaires : récipient (par ex. : une poubelle neuve)
de 10 litres (20 gallons)
tonneau de 180 litres (40 gallons)
tonneau de 270 litres (60 gallons)

Bouteilles, cruches — fermentation secondaire,
barriques, touries en nylon ou plastique,
cruches de 4 litres ou d'un gallon

fouloir avec treillis
égrappoir
pressoir — 22 kg (50 livres) — 240 kg (550 livres)
siphon
entonnoir — couloir — filtre

PHOTO 9 *Le pressoir*

Un appareil appelé à disparaître dans les caves des fabricants de vin maison. Plutôt dispendieux, ce pressoir peut prendre 22 kilos de raisins à la fois et vous donner 9 litres ou 2 gallons à la fois.
Pourtant le véritable amateur aimera en posséder un.

PHOTO 10 ***Appareils à filtrer le vin***
(pour le clarifier)

À gauche: un appareil électrique à pression qui peut filtrer 20 gallons ou 90 litres à l'heure.
Très coûteux.
Au centre: un appareil à pression manuelle, qui peut clarifier 10 gallons ou 45 litres à l'heure.
À droite: le petit appareil de forme circulaire sur lequel vous placez votre propre siphon et qui fonctionne par gravité. Très bon marché et très pratique lorsque votre vin refuse de se clarifier de lui-même.

bondes hydrauliques ou aseptiques
vinomètre ou alcoomètre
thermomètres
bouilloire
agitateur
pompe
tablettes Campden
les bouchons
la cave à vin
l'armoire à vin
le remisage des bouteilles ou cruches
tire-bouchons
verres à dégustation
voleur à vin.

PROPRETÉ — STÉRILISATION

Recette de la solution — Autres stérilisants

Il est primordial de savoir que les chances de réussite d'un bon vin sont de beaucoup diminuées lorsqu'on ne prend pas des précautions de propreté absolue.
Il faut une grande minutie dans la stérilisation des instruments qui servent à la fabrication d'un bon vin.
Il est donc important de toujours garder une réserve de solution de métabisulfite afin de stériliser les cruches, les bouteilles, les ustensiles à mesurer ainsi que pour mettre dans les bondes hydrauliques. Cette solution se conserve pendant six mois et elle peut servir plusieurs fois. Par exemple, lorsqu'il s'agit de stériliser 100 bouteilles, c'est la même solution que vous transvasez d'une bouteille à l'autre.

RECETTE DE LA SOLUTION

Vous écrasez deux tablettes Campden pour chaque 4 onces d'eau de volume de la solution. Je préconise l'emploi de tablettes Campden car elles sont faciles à conserver, prennent peu de place et qu'il y a peu de risque de se tromper dans la recette de stérilisant.

AUTRES STÉRILISANTS

Il en coûte moins cher d'acheter des cristaux de métabisulfite de potasse ou de sodium chez votre fournisseur.

Si vous voulez tenter l'expérience, sachez qu'il faut 62 grammes de ces cristaux pour chaque 5 litres d'eau (2 onces pour chaque gallon).
Cette solution se conserve aussi pendant six mois sans perdre de son efficacité, à condition de bien boucher le contenant.

ATTENTION

N'utilisez jamais de détergents domestiques chlorés, car le chlore détruit les propriétés de la levure de vin.
Si vous vous servez de savon pour la vaisselle, rincez plusieurs fois afin qu'aucun résidu de savon ne reste collé, car votre vin goûterait le savon. Personnellement, je n'utilise jamais de détergent ni même de savon léger. L'eau bouillante, le trempage et la stérélisation sont mes garanties de réussite.

LES BARILS

Si vous voulez quand même vous servir d'un baril de chêne
Pour éliminer le surplus de tanin

Il est indéniable que les barils de chêne contribuent à ajouter au goût du vin. Les Bordeaux, particulièrement, ont un petit goût de chêne et lorsqu'on les fabrique dans des cruches de verre il est recommandé d'ajouter 60 grammes (deux onces) de copeaux de chêne pendant les sept jours de la fermentation primaire, pour chaque quantité de 20 litres (cinq gallons) de moût. Toutefois il est hasardeux, pour un amateur, de se servir de barils de chêne. Cela nécessite alors une attention toute particulière de nettoyage et d'entretien et les risques de rater une cuvée se multiplient. De plus, les barils nécessitent souvent des réparations que seuls les experts peuvent effectuer.
Dans les grandes entreprises on évite, depuis quelques années, d'employer ces barils de chêne sauf pour les grands crus.

SI VOUS VOULEZ QUAND MÊME VOUS SERVIR D'UN BARIL

Il ne faut pas lésiner sur sa qualité ni sur son coût.
Le chêne blanc seul peut servir au vin ; n'utilisez jamais de barrique de mélasse, d'huile d'olive ou de sauce soya. Les barils qui ont servi au vieillissement du cognac, du brandy ou du whisky sont excellents. Ceux ayant servi aux autres substances sont généralement traités au caustique, ce qui a pour effet de sceller le bois et de l'empêcher de respirer, ce qui est contraire à la fabrication du vin qui a besoin du tanin du bois pour en prendre le goût.

Plutôt que de vous servir de barils récurés au caustique, utilisez des cruches de verre ou des barils de nylon.
Si votre baril a été réparé et qu'une ou deux douves de chêne ont été remplacées, leur bois neuf, contenant beaucoup de tanin de chêne, donnera un goût de tanin plus fort à votre vin.

POUR ÉLIMINER LE SURPLUS DE TANIN

A — Mélangez 2 cuil. à thé de lessive domestique et 0,5 kg (une livre) de carbonate de sodium anhydre à chaque 5 litres (gallon) d'eau. Multipliez pour faire plus de cette solution. Mettez dans le baril et laissez tremper pendant 3 jours.
B — Videz le baril et rincez 4 à 5 fois avec de l'eau claire.
C — Faites une seconde solution ordinaire de métabisulfite de sodium 30 grammes (une once) pour chaque 5 litres (gallon) d'eau plus 15 grammes (1/2 once) d'acide citrique.
D — Rincez de nouveau le baril avec cette solution en le roulant. Il faut 10 litres (deux gallons) de solution pour un baril de 50 litres (dix gallons).
E — Rincez de nouveau.
Votre baril est prêt à servir.

Si vous employez un baril de whisky, l'intérieur est brûlé. Il faut éliminer cette couche carbonisée avant d'y mettre le vin en grattant à fond l'intérieur du baril.

LE VIN

Qu'est-ce que le vin? — Classification — Vins doux, secs ou sucrés — L'usage que l'on fait des vins — Vin apéritif — Vin sec (vin de table) — Vins de dessert — Vins digestifs

QU'EST-CE QUE LE VIN?

Le vin est le résultat de la fermentation du jus de raisin à l'aide de levures désormais sélectionnées. Lorsqu'on dit vin, on dit vigne, et aucun autre liquide ne devrait porter le nom de vin. Pourtant, chaque fois que l'on fait fermenter une sorte de fruit on appelle ce résultat du VIN. Poires, pêches, pissenlits, bananes, pétales de roses, cerises, framboises, mûres, etc., servent maintenant à fabriquer des jus dits vins de tel ou tel fruit.

CLASSIFICATION

On classe généralement les vins selon leur couleur. Les vins rouges sont rouges de par la couleur du jus du raisin ou de par la couleur de la peau du raisin qui a trempé et qui a été pressé. Les vins blancs ne sont jamais blancs mais d'un jaune pâle tirant vers le brun en passant par la couleur or. Ils proviennent de raisins verts et de raisins rouges qui ont une chair verte et donnent un jus pâle.
Bien que je ne sois pas un amateur de rosés et que les puristes rejettent carrément cette sorte de vin, nous ne pouvons nier son existence et sa popularité croissante. Il est toutefois le résultat d'un vin rouge dont la pulpe n'a pas été pressée *après*, mais bien *avant* la fermentation primaire, ou encore d'un vin blanc légèrement teinté.

VINS DOUX, SECS OU SUCRÉS

On classe aussi les vins selon le goût. Les vins doux sont des vins qui, après la fin de la fermentation, contiennent encore du sucre dans une proportion de 1% à 14%.
Certains vins sont carrément sucrés sans être trop fort en alcool alors que d'autres, comme le porto, sont fortement alcoolisés. On atteint ce résultat en ajoutant du sucre et de la vodka ou du brandy. Les vins secs sont ceux qui, après la fin de la fermentation, ont moins de 1% de sucre résiduel et n'ont aucun goût sucré.
Le goût sec du vin provient des minéraux, des enzymes, des esters, des acides organiques et de la qualité du jus de raisin. Bien que les vins secs soient les plus populaires, les gens peu habitués à boire du vin préfèrent les vins sucrés. Bien entendu, ces personnes ne boivent pas de vin pendant le repas.

L'USAGE QUE L'ON FAIT DES VINS

Il est mondialement reconnu que le vin peut servir de remède dans certaines circonstances. Cependant c'est comme boisson d'agrément qu'il est le plus populaire.

VIN APÉRITIF

C'est un vin alcoolisé et sucré. La fermentation du vin ne peut généralement pas donner plus de 14 ou 15% d'alcool selon la qualité des ingrédients utilisés.
La fermentation s'arrête dès que le ferment a atteint son degré de résistance à l'alcool.
Pour en faire un apéritif, il faut alors ajouter environ 2 onces de vodka ou de brandy par bouteille pour obtenir

un pourcentage d'alcool de 20%. Cette méthode se nomme VINAGE ou alcoolisation.

Exemples: Dubonnet, Campari, Sherry, Porto.

VIN SEC (VIN DE TABLE)

Un bon vin sec contient de 9 à 13% d'alcool et accompagne toujours un repas. Il se boit aussi comme boisson rafraîchissante et désaltérante.
Le vin sec rouge se boit généralement avec des viandes rouges ou blanches. Le vin blanc se boit frais ou froid et accompagne les poissons, crustacés et certaines viandes blanches. Pourtant, que vos goûts guident toujours votre choix à condition, bien entendu, de ne pas forcer vos invités à vous imiter.

VINS DE DESSERT

Ce sont des vins fruités et tirant vers la liqueur comme les champagnes, sauternes, moselles, barsac, etc.
Ils sont excellents avec les fruits et les entremets.

VINS DIGESTIFS

Au fromage ou après le repas, quand le café a fait le trou, des vins sucrés comme les sherrys, portos, malagas, samos, etc., sont à goûter.

LES ALCOOLS DE VIN

Pour obtenir des alcools de fruits il faut distiller le vin et cela est prohibé par la loi.

Le cognac et le brandy ordinaire proviennent du vin de raisin.
Le kirsch provient des cerises et le calvados du cidre
Le Slivovitz tchèque provient du vin de prune.
La distillation domestique est dangereuse, car il nous est impossible de contrôler la teneur en production d'alcool méthylique qui rend aveugles et souvent tue ceux qui l'ingurgitent.

VINS DE FRUITS OU AUTRES

Fruits domestiques:
Pommes, poires, pêches, abricots, prunes, oranges, citrons, grenades, canneberges, bananes, bleuets.

Fruits sauvages:
Mûres, sureau, églantier (rosier sauvage), raisins secs, figues, dattes, pissenlits.
Et beaucoup d'autres pour ceux qui ont envie de tenter des expériences et de se monter une cave diversifiée en qualité.

QUAND PEUT-ON FAIRE DU VIN?

Historique — Contenu du vin

Autrefois, il était impossible de faire du vin plus qu'une fois par an à cause des vendanges en août et septembre. Pourtant, avec l'avènement de la mise en conserve de concentrés de jus de raisin, il est possible d'en faire TOUTE L'ANNÉE sans risquer de rater la cuvée. Les concentrés sont des jus desquels on a retiré l'eau et qui, pour devenir du vin, doivent être reconstitués en ajoutant quatre parties d'eau à chaque partie de concentré. Ces concentrés permettent aux viticulteurs de faire usage des surplus de jus pour lesquels on n'a pas de contenants de fermentation et que l'on perdrait sans les *amateurs de fabrication* du vin, qu'il me plairait de pouvoir appeler «*VINOLOGUES*» ou «*VINOPHILES*».
Il est maintenant possible de fabriquer d'excellents vins à partir de ces concentrés de grande qualité: BEAUJOLAIS, POMMARD, BORDEAUX, CHIANTI, CORVO, CHABLIS, CABERNET SAUVIGNON, BARDOLO, SHERRY.
Ces concentrés proviennent des meilleurs vignobles de France, d'Italie, d'Espagne et de Californie.

HISTORIQUE

Dans la Bible on parle de la fabrication du vin et on dit même que Noé avait découvert ce liquide après le déluge. On sait qu'aux noces de Cana Jésus changea l'eau en vin et on parle en Grèce du fils de Jupiter nommé Dionysos (Bacchus pour les Romains) qui aurait découvert le vin.
Pendant longtemps chaque vigneron avait son secret pour

fabriquer du vin et, s'il découvrait une façon d'améliorer sa marque, il la gardait et ne la transmettait qu'à ses descendants. Il arrivait pourtant très souvent de rater une cuvée et l'on était facilement ruiné par une telle malchance. Louis Pasteur étudia longtemps les éléments de fermentation du vin et put enfin établir le processus de cette transformation de façon scientifique afin que tous puissent réussir sa fabrication. En 1857, Pasteur expliqua le rôle de la levure de vin dans la fermentation alcoolique et découvrit comment contrôler les bactéries du vinaigre et les organismes de la putréfaction.

Depuis ce temps, on peut facilement arriver à contrôler la qualité des vins que l'on fabrique. Les grandes entreprises commerciales ne peuvent se permettre de perdre une cuvée de 200 ou 500 000 litres. Il est donc devenu normal de contrôler le taux de sucre et l'acidité dans chacune des récoltes de raisins. Ces taux peuvent varier beaucoup d'un vignoble à un autre et souvent à l'intérieur du même vignoble.

La vigne pousse bien dans un sol léger et en climat chaud. La saison de croissance est longue et les écarts de température sont nocifs à sa croissance tout en affectant la qualité du jus des raisins.

Les sécheresses de la Californie méridionale, du sud de la France et de l'Afrique du Nord font augmenter le taux de sucre dans le raisin mais font diminuer le pourcentage d'acidité, ce qui débalance les éléments qualitatifs de la production d'un bon vin.

Pendant son mûrissement, le raisin se couvre d'un film plus ou moins opaque, une sorte de duvet que l'on appelle tanin et cette pellicule est recouverte de micro-organismes de moisissures qui constituent des éléments naturels de fermentation. On retrouve aussi du tanin sur les rafles (grappes) et dans les noyaux des raisins.

Autrefois, ces ferments naturels étaient les seuls éléments permettant la transformation du jus de raisin en vin. Les levures sauvages de la peau des raisins étaient les seuls éléments de transformation du sucre en alcool.
Comme cela prenait beaucoup de temps avant que la fermentation ne commence, les bactéries du vinaigre qui se retrouvaient dans l'air et sur les pattes des petites mouches à fruits réussissaient souvent à changer ce jus en vinaigre de pauvre qualité.
Les producteurs modernes se servent d'anhydride sulfureux pour réussir à uniformiser la qualité de leur production. Cette opération s'appelle le sulfatage.
Lorsque le sulfatage est terminé, on ajoute la levure choisie. Les levures de vin sont cultivées pendant des années afin d'en obtenir la force et le goût désirés autant que le bouquet. C'est la levure qui détermine le succès ou l'échec de la cuvée.
Dans le commerce, on prépare une amorce de levure à l'avance ; lorsqu'on l'ajoute au moût, elle prolifère déjà et la fermentation commence immédiatement, en produisant des gaz carboniques.
La fermentation primaire dégage beaucoup de chaleur et le moût monte souvent à plus de 30°C (85°F), faisant stopper la fermentation. Les vins blancs sont encore plus sensibles car ils ne doivent pas dépasser 21°C (75°F).
Lorsque le moût a une densité de 1000 et moins, on le siphonne dans des cruches de fermentation secondaire afin d'éliminer une partie de la lie.
Une fois la fermentation terminée, on procède au collage artificiel à l'aide de produits comme le blanc d'œuf, la colle de poisson ou la gélatine. À la maison, il vaut mieux laisser reposer naturellement.
Les bons vins rouges doivent vieillir deux ans et plus. Les vins rouges ordinaires et les vins blancs sont embouteillés dès la clarification terminée. Les bons vins vieilli-

ront en bouteilles. Le rouge pendant dix ans et le blanc pendant cinq ans. Le Beaujolais ne se conserve pas plus de six ou sept ans et on a toujours avantage à le consommer jeune, soit avant trois ans.

CONTENU DU VIN

Une fois terminée, la fermentation aura laissé de l'alcool éthylique, du sucre, des vitamines (8), des minéraux (15), des acides organiques (10) et des traces d'autres éléments. Les pigments de la peau et du jus donnent sa couleur au vin.

LES PAYS VINICOLES

Les plus gros producteurs de vin — Les ennemis du vigneron — Les vendanges — La vinification

La France a acquis une réputation mondiale dans le domaine des vins fins et on a l'impression que la culture de la vigne est née dans ce pays. Ce n'est pourtant pas le cas. Ce sont les Grecs qui ont, les premiers, cultivé la vigne et qui l'ont importée en France, dans le sud plus exactement, en l'an 800 avant Jésus-Christ. Ce sont toutefois les Romains qui ont implanté la culture de la vigne sur une grande échelle et qui ont formé les premières entreprises viticoles, après la conquête de la Gaule. Curieusement, les Romains ont propagé cette culture dans tous les pays qu'ils ont conquis.
Actuellement il existe en France, plus d'un MILLION de producteurs qui réussissent une production annuelle de plus de soixante-cinq millions d'hectolitres.
C'est pourtant l'Italie qui est le plus gros producteur de vin dans le monde entier, mais il n'est pas le plus gros exportateur. Il devient donc, de ce fait, le plus gros consommateur de vin produit à l'intérieur de son territoire. Sa production annuelle se chiffre à plus de soixante-neuf millions d'hectolitres, en 1979.

LES PLUS GROS PRODUCTEURS DE VINS (1979)

Pays	*Production*
ITALIE	69 millions d'hectolitres.
FRANCE	65 " " .
ESPAGNE	35 " " .

ARGENTINE	25	"	"	.
ALGÉRIE	18	"	"	.
U.R.S.S.	17	"	"	.
ÉTATS-UNIS	15	"	"	.
PORTUGAL	9	"	"	.
YOUGOSLAVIE	6	"	"	.
ROUMANIE	6	"	"	.
ALLEMAGNE FÉDÉRALE	6	"	"	.
BULGARIE	6	"	"	.
UKRAINE	6	"	"	.
AFRIQUE DU SUD	5	"	"	.
CHILI	4	"	"	.
GRÈCE	4	"	"	.
HONGRIE	4	"	"	.
MAROC	3	"	"	.
BRÉSIL	2	"	"	.
SUISSE	1	"	"	.

Les vins sont très différents les uns des autres à cause des divers sols, des températures plus ou moins chaudes, des nombreuses espèces de cépages et finalement de la façon de transformer le jus du raisin en liqueur des dieux. Les vignes européennes sont les plus productives, les mieux adaptées à l'environnement et les plus régulières sur le plan de la qualité. Mais les vignes du continent nord-américain sont couramment employées en Europe pour créer des hybrides ou des porte-greffes. À ceux qui lèvent le nez sur les vins faits en Amérique du Nord, mentionnons qu'à la fin du siècle dernier le Midi de la France était aux prises avec une épidémie de PHYLLOXERA et que ce sont les plants américains qui ont sauvé les cultures françaises. Les ceps du vignoble du Maréchal Foch ont aussi été plantés dans la vallée du Niagara en Ontario et produisent maintenant un excellent vin du même nom. Les vins de Californie, et principalement ceux de la région immédiate de San Francisco font d'excellents vins de coupage.

LES ENNEMIS DU VIGNERON

La viticulture est une guerre constante contre la vermine qui s'attaque aux fruits et aux feuilles. L'araignée rouge, les papillons, les chenilles et les champignons parasites de la vigne forment cette armée d'ennemis à abattre absolument. Le ver de la vigne est un papillon nommé EUDEMIS et il affectionne particulièrement les grappes et les feuilles de vigne tout au long de la culture.

Il y a aussi la pyrale de la vigne et la cochylis de la grappe qui ravagent les vignobles. Il y a la runchite (communément appelé le cigare) qui pond ses œufs au milieu des feuilles qu'elle roule en forme de cigare.

Les pucerottes dévorent le dessous des feuilles pendant que la larve «écrivain» découpe, sur les feuilles, de petites lanières qui ressemblent à des lignes d'écriture.

Les champignons OÏDIUM et MILDIOU s'attaquent à la feuille et à la grappe. Contre tous ces ennemis le viticulteur doit se battre et il réussit maintenant mieux avec les moyens modernes. Ce viticulteur ou vigneron ne chôme jamais. Il doit labourer le sol pour la culture puis il doit l'aérer par binage. Il fait des labours d'hiver et procède à la taille des vignes en hauteur, selon qu'elles sont conduites sur PALISSAGE, ÉCHALAS ou HAUTAINS. Les tailles sont appelées SÈCHES lorsqu'elles sont exécutées pendant le repos de la végétation et ce, dans le but de fortifier les ceps et de faire fructifier la vigne, et VERTES lorsqu'elles sont faites pendant la saison. Les autres opérations s'appellent PINCEMENT, ÉBOURGEONNAGE, ÉPAMPRAGE et ROGNAGE.

LES VENDANGES

Il faut être résistant pour travailler aux vendanges mais, pour le viticulteur, c'est la récompense de toute une saison d'efforts. Pendant toute la saison de pousse, des échantillons de raisin sont prélevés et c'est au moment où le taux de sucre et le taux d'acidité ont atteint un équilibre parfait que commencent les vendanges.
La diversité des climats fait que les vendanges ne se font pas toutes en même temps. En Champagne, par exemple, la récolte du raisin se fait très tôt en août alors qu'en Alsace elle se fait tard, vers octobre, ce qui permet à certains travailleurs spécialisés d'aller d'une région à une autre pour la récolte saisonnière et de prolonger ainsi la saison de travail.
La saison des vendanges commence toujours par le nettoyage et par le sulfitage du matériel à employer. Les hottes et les barriques sont imbibées d'eau pour leur permettre de gonfler et, ainsi, d'être prêtes à recevoir le jus de la treille.
On évite le plus possible la manipulation manuelle qui risque de contaminer le vin. Le vin blanc est traité à part car les raisins sont plus souvent acides et il faut enlever les grappes. On ne foule pas le raisin destiné à produire du vin blanc, afin qu'il ne soit pas teinté par la pelure ou par la pulpe souvent rouge. On le presse immédiatement et on ne se sert que du jus.

LA VINIFICATION

Les vins de grand cru sont fermentés dans des cuves de bois, de pierre ou d'acier inoxydable.
La fermentation s'opère sous l'effet des levures naturelles de raisin. Ces levures sont spécialement cultivées à partir

des bouquets désirés de Bourgogne, Bordeaux, Champagne, etc. La cuvaison dure de dix à quinze jours, après quoi le vin de goutte est soutiré et les raisins pressés pour que le jus soit mis en cuves de fermentation secondaire. Cette seconde phase dure jusqu'au mois de février pour la Champagne et jusqu'au mois d'avril pour l'Alsace.
Puis c'est la clarification, souvent mécanique, du vin mais le plus souvent à l'aide de gélatine ou d'albumine desséchée. Dans le cas du Beaujolais nouveau le filtrage se fait jusqu'à trois et quatre fois pour pouvoir le boire plus vite.

LES BOUTEILLES

Le contenu habituel des différentes sortes de bouteilles de vins français

		Btl	1/2	1/4
Champagne.....	Contenant normal	80 cl	40 cl	20 cl
	Magnum	2	bouteilles.	
	Jéroboam	4	"	
	Reoboam	6	"	
	Mathusalem	8	"	
	Salmanazar	12	"	
	Balthazar	16	"	
	Nabuchodonosor	20	"	

Alsace .... 72 cl
Bourgogne et Beaujolais .... 75 cl
Bordeaux .... 75 cl

Température idéale du service des vins

Grands Bourgognes	entre	15° et 17° C
Grands Bordeaux	"	16° et 18° C

Champagnes		6° C
Rouges légers	"	10° et 12° C
Rosés	"	8° et 10° C
Blancs secs	"	5° et 8° C
Blancs liquoreux	"	2° et 5° C

MÉTHODE DE FABRICATION DOMESTIQUE

MÉTHODE DE FABRICATION DOMESTIQUE
(raisins frais)

Vins blancs — Cuves de fermentation primaire — Sacs de plastique — Pressoir — Fouloir à raisins — Égrappoir — Siphon — Cuves ou cruches de fermentation secondaire — Filtres — Entonnoir — Bondes hydrauliques ou aseptiques — Alcoomètre — Hydromètre ou densimètre — Calcul: poids pour poids — Calcul: poids par volume — Calcul: volume pour volume — Densité de départ — Contrôle de l'acide — Conclusion

A — Préparez les instruments et stérilisez-les parfaitement.

B — Préparez la levure pour ensemencer le volume total.

C — Égrappez et écrasez les raisins.

D — Vérifiez la teneur en sucre et en acide et ajoutez le sucre qui manque selon la recette, ainsi que l'acide désiré.

E — Stérilisez le moût en ajoutant des tablettes Campden écrasées (100 parties par million).

F — Mettez la nourriture de levure et couvrez le récipient de fermentation primaire pour empêcher les mouches et l'air de contaminer le liquide.

G — Agitez deux fois par jour pendant 7 jours pour briser le chapeau et retremper les raisins.

H — Vérifiez la température et ajustez selon qu'il faille réchauffer ou refroidir le moût.

I — Après 7 jours vous soutirez le vin (siphonnage) pour le mettre dans des cuves de fermentation secondaire et vous pressez la pulpe qui reste afin d'en extraire le jus.

J — Après 3 semaines, soutirez de nouveau.

K — Après 3 mois ajoutez les tablettes Campden.

L — Après 3 autres mois, nouveau soutirage; clarification si nécessaire.

M — Laissez vieillir pendant six mois ou un an si possible avant d'embouteiller.

N — Embouteillez et buvez mais, si possible, gardez quelques bouteilles à vieillir.

VINS BLANCS

Le vin blanc nécessite des soins particuliers puisqu'il s'oxyde facilement et qu'il change alors de couleur, devenant presque brun. Il n'est pas nécessaire de laisser la pulpe puisque la couleur n'est pas indispensable. Il est important d'ajouter de l'acide ascorbique lorsqu'on laisse reposer le vin après la fermentation. Cette addition empêchera le vin de changer de couleur.
Il n'est pas besoin de laisser vieillir après le collage et on peut embouteiller tout de suite. Le vieillissement se fera dans la bouteille.

CUVES DE FERMENTATION PRIMAIRE

Un récipient de plastique (poubelle neuve) de la grandeur de votre envie de faire du vin.
Le polyéthylène est aussi recommandé pour votre cuve de fermentation primaire.

Toutefois, les récipients de plastique sont beaucoup moins dispendieux. Il faut cependant prendre soin de bien les couvrir pour empêcher les saletés et les bactéries de l'air d'altérer la cuvée.

Attention, n'achetez jamais de récipients munis d'un couvercle. Ou il ferme trop bien et il ne permet pas l'échappement des gaz, ou il ferme mal et laisse pénétrer les petites mouches à fruits.

Les seaux à couvercle coûtent aussi beaucoup plus cher.

Une feuille de plastique retenue par un élastique est excellente pour couvrir la cuve de fermentation primaire.

Les jarres de grès peuvent également servir de cuve de fermentation mais elles sont lourdes et très fragiles.

Une jarre de 8 à 10 litres (2 gallons) fera l'affaire pour une cuvée de 4 à 5 litres (1 gallon).

Un grand chaudron en ACIER INOXYDABLE convient très bien.

Ne jamais employer un autre métal pour la fermentation du vin. Vous gâcheriez votre cuvée.

Il est aussi recommandé de bien s'assurer que le chaudron émaillé ne soit pas écaillé (si vous l'employez) car le moindre contact avec le métal de base pourrait gâter votre vin.

SACS DE PLASTIQUE

Si vous faites une grande cuvée, que vous avez un baril de 175 ou 250 litres (40 ou 60 gallons) et que vous n'êtes pas sûr de sa qualité, sachez qu'il se vend des sacs de plastique d'une épaisseur de 6 à 8 mm, longs de 2 m et larges de 1,3 m que vous pouvez placer à l'intérieur de votre baril, par mesure de précaution. Ils sont peu coûteux et si vous ne voulez pas vous donner la peine de les nettoyer après usage, vous pouvez toujours les jeter à la poubelle.

On peut aussi acheter des doublures de plastique semi-rigides et qui peuvent se tenir debout.
Elles se vendent assez cher mais sont durables et peuvent servir plusieurs années.

PRESSOIR

Lorsqu'on veut faire du vin blanc, il faut absolument presser le raisin pour en extraire le jus entier; pour le vin rouge, il est important de laisser la pulpe pendant la fermentation primaire afin de donner la couleur au moût. Dès que la fermentation primaire est terminée, il faut alors presser la pulpe pour en extraire tout le jus.
Donc, si vous faites votre vin à partir de raisins, il vous faudra un pressoir.
Ce pressoir aura une capacité de 10 kg (20 livres), 25 kg (50 livres) ou 250 kg (500 livres) de raisins, selon vos besoins et vos moyens. Si vous êtes ingénieux, il se pourrait que vous puissiez bricoler votre propre pressoir car c'est là un appareil simple qui peut prendre plusieurs formes.
Il comporte généralement trois parties. Une sorte de cuve latté pour contenir le raisin, un pressoir (plongeur) actionné par une vis, qui écrasera le raisin et un récipient pour recueillir le jus.

CONSEILS POUR L'EMPLOI DU PRESSOIR

A — VIN BLANC: on presse le raisin dès qu'il a été foulé ou cassé.

B — VIN ROUGE: on presse uniquement après la fermentation primaire et après que le raisin foulé a donné la couleur au moût.

C — Il faut toujours bien remplir le pressoir avant d'installer la plaque (plongeur).

D — Vous appliquez une pression très lentement afin de sentir la résistance. Attendez 5 minutes afin de laisser le jus s'écouler.

E — Serrez un peu plus la vis et laissez le jus s'écouler pendant 5 minutes. Répétez l'opération jusqu'à épuisement du jus.

F — Dévissez, retirez la plaque et enlevez la pulpe.

REMARQUE

Il ne faut jamais vouloir retirer tout le jus d'un seul coup. Vous obtiendriez moins de jus et risqueriez de briser le pressoir.
Pour fabriquer un bon vin rouge et surtout si vous avez envie de faire une piquette (un second vin) de la même pulpe, vous n'avez pas besoin de presser la pulpe. Vous soutirez (siphonnez) et vous commencez à fabriquer votre piquette avec les résidus.
Si vous ne faites du vin qu'en petite quantité, vous avez avantage à faire presser votre raisin par des spécialistes ; leurs prix sont très raisonnables et cela vous épargnera le coût d'achat du pressoir. C'est un appareil superflu qui demande beaucoup d'entretien et une propreté méticuleuse.

FOULOIR À RAISINS

Blanc ou rouge, le raisin doit être foulé même si vous n'avez pas envie de le presser. Un fouloir n'est pas un pressoir. Il ne remplace que les pieds de l'homme afin de briser le raisin pour qu'il jette son jus et sa pulpe.

Dans le cas du vin blanc, vous pressez le raisin immédiatement après l'avoir foulé. Pour le vin rouge, la fermentation primaire suit le foulage et le pressoir ne sert qu'après.

Attention: Il ne faut pas confondre; un fouloir n'est pas un pressoir.

ÉGRAPPOIR

Si vous n'avez pas égrappé le raisin avant de le fouler, faites-vous un égrappoir pour retirer les rafles du moût. Vous fabriquez une palette et vous y enfoncez des clous de 8 cm (3 pouces).
Les feuilles et les rafles (grappes) peuvent donner un mauvais goût à votre vin à cause de leur forte teneur en tanin. Il faut donc les enlever.

SIPHON

Le siphon est l'appareil le plus important de la fabrication du vin, après les cruches elles-mêmes. Il coûte bien peu en comparaison des services qu'il rend.
Lorsque la fermentation primaire est terminée, il faut soutirer le moût dans les cruches de fermentation secondaire. Il se produit alors la première opération de clarification du vin puisque la lie repose toujours au fond. Il faut, bien entendu, ne pas brasser ni agiter le contenant et il faut déposer le siphon bien délicatement. De préférence, le bout du siphon qui entre dans la cruche à soutirer est rigide et recourbé pour ne pas soutirer la lie du fond. Lorsque votre vin cesse de fermenter, il faut le siphonner de nouveau pour le mettre au repos, de préférence dans

des contenants de 4 ou 5 litres (1 gallon). Il subit alors sa seconde phase de clarification. Quelques semaines plus tard, vous embouteillerez ce vin en le siphonnant à nouveau, alors qu'il sera parfaitement clarifié. Il faut pour cela, un bout de boyau de 7 mm de diamètre et d'une longueur de 2 mètres.
Vous soutirez avec la bouche ou vous achetez une petite pompe à succion manuelle, au choix; cette dernière est d'un prix modique.

CUVES OU CRUCHES DE FERMENTATION SECONDAIRE

Si vous faites peu de vin, des cruches de vin de 4 ou 5 litres (1 gallon) suffiront.
Si vous faites 50 litres (10 gallons) et plus, je vous conseille des cruches de 20 litres (5 gallons).
Il faut toujours acheter des bouchons de caoutchouc troués pour y fixer les bondes hydrauliques.

FILTRES

Il ne faut jamais essayer de filtrer le vin lui-même, c'est pourquoi nous recommandons de ne couler le vin que dans un filtre à treillis métallique (couloir) afin de retenir pulpe, noyaux, feuilles et rafles lorsque vous faites du vin avec le raisin. Dans le cas où vous feriez du vin de concentré, ces filtres sont évidemment inutiles.

ENTONNOIR

J'emploie un grand entonnoir de 1 gallon pour verser le concentré dans la cuve de fermentation primaire, et un

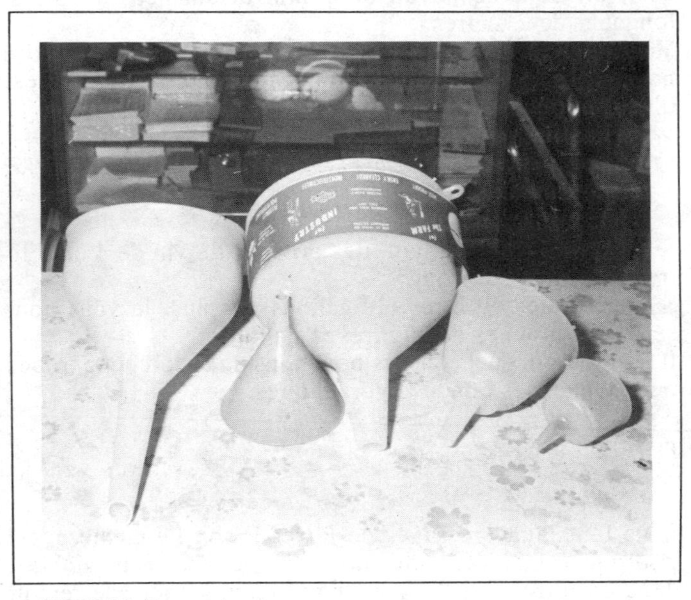

PHOTO 11 ***Entonnoirs***

Les entonnoirs sont importants lorsque vous faites le mélange. Un entonnoir d'une capacité de 1 gallon ou de 4,5 litres est essentiel.

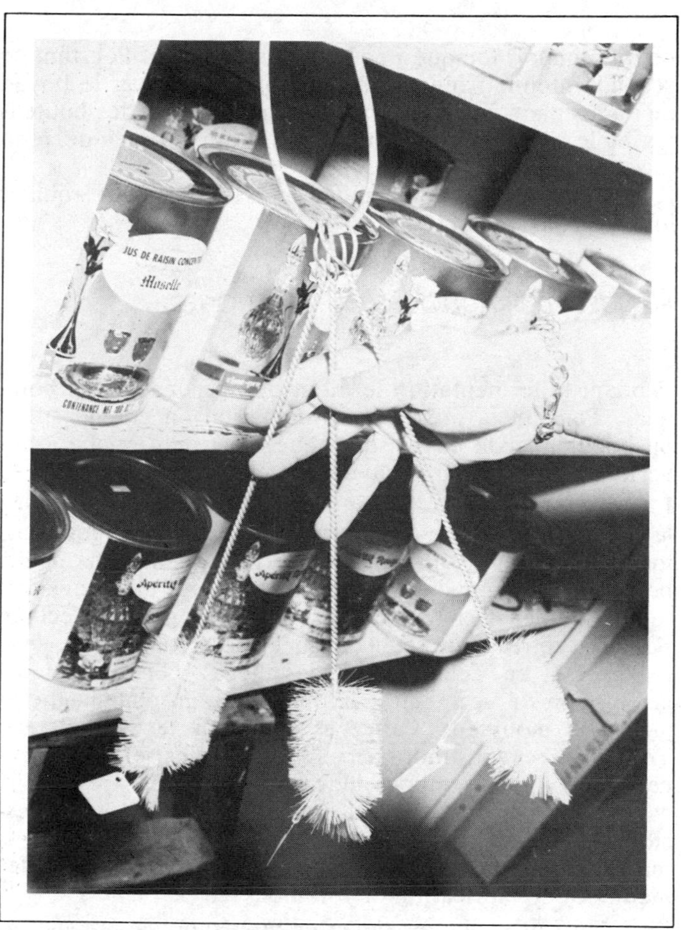

PHOTO 12 ***Brosses à laver les bouteilles***

petit entonnoir lorsque j'embouteille mon vin. Pourtant ce second entonnoir n'est là qu'une précaution car le boyau de mon siphon entre facilement dans le goulot des bouteilles et le minuscule robinet se ferme après chaque remplissage.
Il est d'ailleurs recommandé de fixer ce petit robinet lorsque vous embouteillez.

BONDES HYDRAULIQUES OU ASEPTIQUES

Pendant la fermentation le moût dégage des gaz carboniques. Pendant la première fermentation on entend siffler ou bouillonner la cuve, selon que c'est une cruche à ouverture rétrécie ou une cuve à grande ouverture.

Lorsque vous faites le vin à partir de raisins, laissez le moût à peine couvert d'une feuille de plastique mais lorsque vous faites un vin à partir de concentré, fixez une bonde hydraulique dès la première journée; elle empêchera l'air de pénétrer tout en permettant au gaz de s'échapper. Si votre cuve était fermée hermétiquement, elle exploserait en éclaboussant les lieux. C'est d'ailleurs la pression de ce même gaz qui donne au champagne et aux vins mousseux l'effervescence qui les caractérise. Toutefois, ces vins mousseux sont fabriqués selon des procédés rigoureux, embouteillés dans du verre très épais, capable de résister à 3 atmosphères (100 livres) de pression et muni d'un bouchon entouré de fil de fer pour le maintenir en place. Nous vous parlerons plus loin des méthodes de fabrication du vin mousseux.

Si on laissait les cuves ouvertes pour que les gaz en sortent, l'air gâterait la couleur et la saveur du vin. Cela permettrait aussi aux bactéries du vinaigre, qui sont toujours dans l'air, de s'infiltrer et de gâter la cuvée.

Les petites mouches à fruits que l'on nomme drosophiles accélèrent la propagation de ces bactéries qui s'agrippent à leurs pattes velues. Il faut donc fixer des bondes hydrauliques sur vos contenants.
Dans ces bondes, vous versez un peu d'une solution de métabisulfite et les gaz qui s'échappent doivent passer au travers de cette solution stérilisante.
Par contre, si la fermentation s'arrête, l'air ne peut pénétrer dans la cruche que par la bonde et doit alors être filtré par la solution aseptisante.
Les bondes coûtent de 1,29$ à 2,50$, selon leur grosseur.

ALCOOMÈTRE

C'est un petit instrument très coûteux et assez peu précis. Pour les vins secs, il peut donner une marge d'erreur de 1%, ce qui est beaucoup. Pour les autres vins, il est peu fiable. Il n'est pas indispensable, tout compte fait, car l'hydromètre le remplace avantageusement et ne coûte que quelques dollars. Il faut cependant calculer la teneur en alcool. Nous vous donnerons la méthode plus loin.

HYDROMÈTRE OU DENSIMÈTRE
« mesureur d'eau »

C'est un petit appareil, semblable à un thermomètre, qui calcule la DENSITÉ des liquides. Il donne donc automatiquement la teneur en sucre du moût du vin. L'importance du sucre et de l'acide dans la fabrication du vin est capitale. Un mauvais dosage des deux produira un mauvais vin, trop sucré ou trop acide.
Pour la fabrication du vin à partir du raisin, il faut contrôler les deux. Pour la fabrication du vin à partir de

concentrés, seul le sucre doit être contrôlé puisque l'acide en a été retiré et que vous ajoutez une quantité fixe de ces acides essentiels à la fermentation.

Si vous placez l'hydromètre dans l'eau, il vous donnera une lecture de 1000. Lorsque vous ajoutez du sucre, vous augmentez la *densité du liquide*, votre hydromètre vous donne une lecture supplémentaire. Plus vous mettez de sucre et plus le potentiel d'alcool est grand. Toutefois il ne faut pas que le taux de sucre soit plus fort que le potentiel de fermentation de votre levure et des acides du raisin.

Supposons qu'après avoir ajouté du sucre, l'hydromètre se lit 1,090; cela signifie qu'il y a un kilo (2 livres) de sucre pour chaque 5 litres (gallon impérial) de moût.

Le potentiel d'alcool à transformer pour que la lecture retombe à 1000 est de 329 grammes (11.6 onces), ou 12% de volume.

Nous vous donnons, plus loin, un tableau des densités et des potentiels d'alcool.

L'hydromètre est un tube scellé, s'élargissant vers le bas et lesté. Il est donc obligé de flotter verticalement dans le liquide. À l'intérieur du tube se trouve une échelle graduée. Plus il y a de densité (de sucre) plus il flotte haut. L'échelle indique non seulement la densité mais aussi la teneur en sucre.

À mesure que la fermentation avance, le sucre est converti en alcool par la levure et la densité du liquide diminue. Lorsque la lecture tombe sous le chiffre 1000, c'est que le liquide est moins dense que l'eau pure et que l'alcool augmente.

Cet hydromètre vous permet donc de:

A — Mesurer la teneur en sucre
B — Calculer le potentiel d'alcool du moût avant la fermentation
C — Savoir comment progresse la fermentation
D — Déterminer la fin de la fermentation

E — Contrôler la pression ou l'ébullition du cidre ou du champagne
F — Mesurer l'alcool du produit fini.

Il ne coûte que quelques dollars
On lui donne aussi d'autres noms:
DENSIMÈTRE (il mesure la densité)
GLUCOMÈTRE (il mesure le taux de sucre)
SACCHARIMÈTRE *(idem)*
C'est pourtant le même instrument. Les plus populaires sont les G.S. et les Balling.
L'échelle Balling prend pour base 0, qui indique qu'il n'y a pas de sucre; le G.S. (gravité spécifique) est basé sur 1000.
À 30, cela indique que 30% du poids du liquide est du sucre fermentescible. Le meilleur demeure le G.S. car il indique et la densité et le taux de sucre en livre.
Les Américains emploient l'échelle Balling et les Anglais, les Français et les Italiens, l'échelle GRAVITÉ SPÉCIFIQUE. Nous travaillerons donc avec l'échelle G.S. tout au long de ce livre. Le calcul du taux d'alcool est souvent trompeur puisqu'il peut s'agir de taux de poids ou de taux de volume.

CALCUL: POIDS POUR POIDS

Si vous mettez un kilo (ou 2 livres) dans un volume d'eau qui pèse en tout 5 kilos (ou 10 livres), on peut alors dire que le poids du sucre représente 20% du poids.

CALCUL: POIDS PAR VOLUME

Si vous mettez un kilo de sucre dans 5 litres d'eau, vous aurez donc une mesure de «1 par 5 litres, poids par volume».

CALCUL: VOLUME POUR VOLUME

Si vous mélangez de l'alcool et de l'eau à raison de 200 cc d'alcool par 1000 cc d'eau (1 litre) vous aurez *20% d'alcool volume pour volume.*
Dans la fabrication du vin, il faut faire attention aux mesures et ne pas les confondre. Si votre vin est de 12% d'alcool en poids, il aura 13.6% d'alcool en volume. Les fabriquants préfèrent indiquer le taux d'alcool en volume, pour faire croire qu'il est plus fort que sa teneur véritable en poids.
Pour employer l'hydromètre, il vous faut une éprouvette de plastique (cylindre). Vous mettez du liquide échantillon dans cette éprouvette et vous mettez l'hydromètre à flotter. Vous lui donnez un tour de pouce pour qu'il tourne dans le liquide et qu'il se débarrasse des bulles d'air qui fausseraient la lecture. Alignez l'œil à la hauteur du liquide et vous aurez la lecture de la densité du liquide. Prenez les instruments et stérélisez-les après et avant chaque usage.
Certains hydromètres sont précis à 16° C (60° F) et d'autres à 20° C (68° F).
Si le liquide est plus chaud ou plus froid que l'indicateur, il faudra que vous consultiez la table de conversion à la fin du livre pour connaître la lecture exacte.
Souvent il faut ajouter du sucre en quantité inférieure à l'indicateur de certaines recettes et c'est l'hydromètre qui vous indiquera combien de sucre il faut ajouter.

DENSITÉ DE DÉPART

Pour faire un bon vin de table rouge ou blanc, la densité de départ du moût devrait être de 1085 à 1090.
Pour faire des vins sucrés, départ 1095 à 1115.

ATTENTION : Si vous mettez trop de sucre, la levure ne pourra l'absorber et le transformer. Il faudra alors ajouter ce sucre en 3 ou 4 fois.

La fermentation peut s'arrêter avant que tout le sucre soit converti en alcool. C'est que la levure a atteint son degré de résistance à l'alcool. Alors il faudra ajouter un peu de « raviveur de levure » *(yeast energiser)* selon la table des « PROBLÈMES » à la fin du livre.
Lorsqu'à un intervalle de 15 jours votre hydromètre vous donne la même lecture, c'est que la fermentation est arrêtée. Si votre moût a atteint 1000 ou moins, votre vin est fait mais si la densité est supérieure, il faut faire repartir la fermentation autrement vous aurez du vin sucré.
Dans le contrôle des vins mousseux ou de type champagne, votre hydromètre devient votre appareil le plus précieux car il ne faut jamais que la teneur en alcool soit supérieure à 11.5%.

CONTRÔLE DE L'ACIDE

Pour ceux qui font du vin à partir de raisins seulement. (Ceux qui emploient des concentrés n'ont pas à se préoccuper de ce contrôle puisque la déshydratation des concentrés par le froid élimine les acides du vin et qu'il faut ajouter une quantité X bien déterminée lors de la reconstitution du moût.)
Dans tous les fruits il y a des acides. C'est l'ensemble équilibré des acides et du sucre qui fait qu'un vin est bon. Ces acides se contrôlent en analysant la teneur réactive du PH, au même titre que dans l'analyse d'un sol arable.
Plus la réaction est haute en acides, plus la culture des fruits est favorable. Les légumes demandent un sol à réaction plus basse.

Les raisins cultivés dans les régions chaudes (Afrique du Nord, Provence et Californie) sont, règle générale, forts en sucre mais faibles en acide.

Quand les fruits manquent d'acide, le moût est

A — plus sensible à la contamination;
B — les bactéries du vinaigre l'attaquent plus facilement;
C — le vin s'oxyde aisément et change de couleur tout en se gâtant.

Par contre, si le taux d'acide est trop grand, cela retardera la fermentation et le vin prendra beaucoup plus de temps avant d'être prêt à être bu.

Les acides du raisin sont:
Tartrique — Malique — Tanique phosphorique.
Ce sont les acides fixes.

Les acides volatiles qui se forment pendant la fermentation sont: propionique et acétique.

On calcule donc la réaction PH des acides comme s'il ne s'agissait que d'une seule sorte d'acide.

Pourtant les gens parlent de différents acides lorsqu'ils parlent de réaction du raisin. Les Canadiens et les Québécois parlent de l'acide tartrique, les Anglais d'acide citrique et les Français d'acide sulfurique. Lorsqu'on dit qu'un vin contient 8% d'acide citrique ou tartrique, cela veut dire que tous les acides combinés forment 8% du volume exprimé. Pour mesurer l'acidité il faut prendre une certaine quantité du moût et y ajouter lentement une substance alcaloïde ou alcaline. L'indicateur liquide tourne alors au rose quand l'acide est entièrement neutralisé.

Ensuite, en observant la quantité d'alcool utilisé, on peut savoir combien il y avait d'acide avant la neutralisation: En réagissant en même temps que tous les acides, l'alcool donne la lecture de l'acidité totale désirée.

L'équipement de contrôle de l'acidité est très dispendieux. Il s'obtient toutefois de compagnies spécialisées dans les fournitures de fermes et chez certains pourvoyeurs de produits de transformation du vin.

ACCESSOIRES ET INGRÉDIENTS NÉCESSAIRES À L'ANALYSE PH ACIDE

Une éprouvette de 100 cc
une seringue de 20 cc
de l'hydroxyde de sodium (soude caustique) (alcaloïde de solution)
de la phénolphtaléine (indicateur de couleur liquide)
un compte-gouttes

Stérilisez parfaitement les instruments

VÉRIFICATION D'UN VIN BLANC (PLUS FACILE)

A — Mettre 30 cc de vin dans l'éprouvette

B — À l'aide du compte-gouttes, ajoutez 6 gouttes de phénolphtaléine et agitez lentement.

C — Stérilisez la seringue et aspirez-y 20 cc d'hydroxyde

D — Ajoutez au vin 2 cc d'hydroxyde ; vous verrez alors une traînée rose dans l'éprouvette. Agitez délicatement et elle disparaîtra.

E — Ajoutez 2 autres cc d'hydroxyde et refaites le manège pour la faire disparaître.

F — Continuez en ajoutant 2 cc à la fois jusqu'à ce que la couleur ne disparaisse plus à l'agitation de l'éprouvette. Le vin sera alors entièrement teinté de rose.

G — Comptez le nombre de cc d'hydroxyde que vous aurez ajoutés à la solution de vin. Divisez par deux et vous aurez la réaction PH en pourcentage partie par mille dans le vin.

Si vous avez eu besoin de 12 cc d'hydroxyde, divisez par 2 = 6% d'acide tartrique ou citrique.

POUR LE VIN ROUGE

Lorsque vous ajoutez l'hydroxyde, la traînée, plutôt que de virer au rose, devient rouge plus foncé mais lorsque la résistance alcaloïde est atteinte, le changement de couleur passe au gris très foncé et ne disparaît plus au brassage.

Certains vins rouges ont de .65% à .75% d'acidité.
Les vins blancs .70% à .95%.
Il est donc recommandable de commencer un vin rouge avec une moyenne d'acidité de .75% à .85%.
Un blanc, de .88% à .95%, parce qu'une partie de l'acide se perd pendant la fermentation.

INSUFFISANCE D'ACIDE

Si votre taux d'acide est trop bas, il est facile d'en ajouter car les mélanges acides se vendent chez les détaillants de produits du vin.

⅓ d'once	ajouté à 1 gal.	de moût	=	augmentation	.25%
1 once	ajoutée à 5 gal.	"	"	"	.15%
4 onces	ajoutée à 30 gal.	"	"	"	.1%

EXCÈS D'ACIDE

A — Mélangez du moût d'un raisin plus faible en acide avec votre moût trop acide.

B — Ou ajoutez du concentré de vin qui ne contient jamais plus de .35% d'acide.

C — Ou ajoutez de l'eau (cela donnera un vin plus clair et moins sec) et du sucre en proportion.

CONCLUSION

Il est beaucoup moins compliqué de faire du vin à partir de concentrés qu'à partir du raisin même.

A — Le taux de sucre est facilement contrôlable

B — Le taux d'acide est connu et réduit à .35% ce qui vous permet d'ajuster en conséquence et selon les recommandations du vigneron producteur du concentré.

C — Il n'y a presque pas de risque de se tromper et un mélange ne requiert qu'une quinzaine de minutes.

D — Vous pourrez faire du vin toute l'année.

E — Pas de mouches dans la cave à vin.

F — Pas de moût à réchauffer ou refroidir.

G — Un choix infini de bonnes marques de concentrés, éliminant les variations de qualités des raisins qui proviennent de la Californie.

AMUSONS-NOUS À FAIRE DU VIN

LE VIN DE RAISIN FRAIS

Puisqu'il est un peu plus compliqué de faire du vin à partir de raisins véritables, nous commencerons immédiatement. Il ne faut surtout pas être négligent car cela peut conduire à un échec et dans le cas du raisin frais, ce serait un échec coûteux.
Plus loin, nous vous parlerons des méthodes faciles de faire du vin à partir de concentrés. Dans ce cas, il est impossible de ne pas réussir.

VIN À PARTIR DE RAISIN — VIN DE TABLE SEC

Recette tenant compte de la qualité de la marque Zinfandel en provenance de Californie.
La même recette peut être faite avec les raisins « alicante » ou « carignane » mais ces deux espèces sont de qualité inférieure. Ils sont généralement employés pour couper des vins qui manquent de corps ou de fruitage.

N.B. 1 — 10 kilos (22 livres) de raisins donnent à peu près 4 ½ litres (1 gallon) de vin.

2 — le baril ou (cuve de fermentation primaire) ne doit jamais être rempli à plus des 4/5 de sa capacité afin de ne pas le voir déborder pendant la fermentation.

3 — cette cuve (ou baril) doit être soulevée de terre afin de faciliter le siphonnage, dès que la fermentation primaire sera terminée, du liquide qu'il faudra verser dans les cruches de fermentation secondaire.

4 — égrappez le raisin en enlevant aussi les feuilles et les saletés, mais attention, ne lavez jamais

le raisin, car vous enlèveriez la couche de tanin et de levure naturelle qui recouvre la peau.

5 — foulez le raisin afin d'écraser la pulpe et que le jus s'en échappe. Pour ce faire employez un fouloir ou foulez aux pieds comme autrefois.

6 — faites un prélèvement du jus et vérifiez-en la teneur en sucre et en acide. Ajustez en conséquence pour que le taux de sucre arrive à 1085 et que le taux d'acidité soit à .65%. Pour abaisser le taux de sucre, ajoutez un peu d'eau. L'acide, vous en ajoutez généralement.

7 — ajoutez au moût 12 ml (½ once) de solution de métabisulfite de potasse par 70 kg (150 livres) de raisins et mélangez doucement.

8 — vérifiez la température de votre mélange. La température idéale se situe entre 20° C (68° F) et 26° C (78° F).

9 — si la température est supérieure à 28° C (83° F), rafraîchissez en plaçant des sacs de glace dans le baril ou la cuve. Si la température est inférieure à 18° C (65° F) il faut réchauffer en mettant des sacs ou seaux d'eau chaude dans le moût ou en augmentant le chauffage de la pièce.

10 — quand la température est d'environ 26° C (78° F), ajoutez la levure et couvrez la cuve de fermentation avec une feuille de plastique que vous fixerez à l'aide d'un élastique bien serré.

11 — brassez le moût deux fois par jour pour que les pulpes soient toujours dans le liquide afin de lui donner la couleur rouge et d'empêcher la putréfaction de la pulpe exposée à l'air tout en empêchant les mouches à fruits de proliférer.

12 — plus la fermentation augmente, plus la température du liquide monte. Si la température

dépasse 24 ou 25° C (76 ou 78° F) il faut refroidir avec de la glace.

13 — après 7 jours, vous aurez un liquide d'un rouge foncé et il sera temps de soutirer le liquide pour le mettre dans des cruches de fermentation secondaire. Laissez-le reposer pendant 24 heures.

14 — si vous n'êtes pas sûr que la couleur soit la bonne, prenez un échantillon du moût et faites le test de l'hydromètre. Si le taux de sucre est tombé de 60 degrés, c'est-à-dire à 1025, vous avez sûrement une assez bonne couleur pour ce vin.

15 — si votre siphon se bloque, c'est qu'il est trop petit pour le soutirage d'un vin naturel. Prenez alors un plus gros boyau.

16 — employez un filtre de treillis métallique pour retenir les pépins et autres débris.

17 — si vous voulez faire une piquette du même raisin, ne pressez pas le moût restant dans la cuve de fermentation primaire. (voyez la recette ci-après de « Piquette »)

18 — si vous ne désirez pas faire de piquette, vous devez alors presser (au pressoir) tout le moût restant pour en extraire le jus et le répartir également entre toutes les cruches de fermentation secondaire.

19 — ajustez des bondes hydrauliques sur vos cruches.

20 — après 15 jours, soutirez de nouveau et remettez dans les mêmes cruches après les avoir lavées et stérilisées. C'est une opération de clarification.

PHOTO 13 ***Le mélange qui fera du vin***

Sur la cruche de fermentation primaire vous fixez un entonnoir d'une capacité de 4,5 litres (1 gallon) et vous y versez le concentré après l'avoir réchauffé sous l'eau chaude pour éviter que le jus durcisse. Puis vous versez l'eau chaude selon la recette.

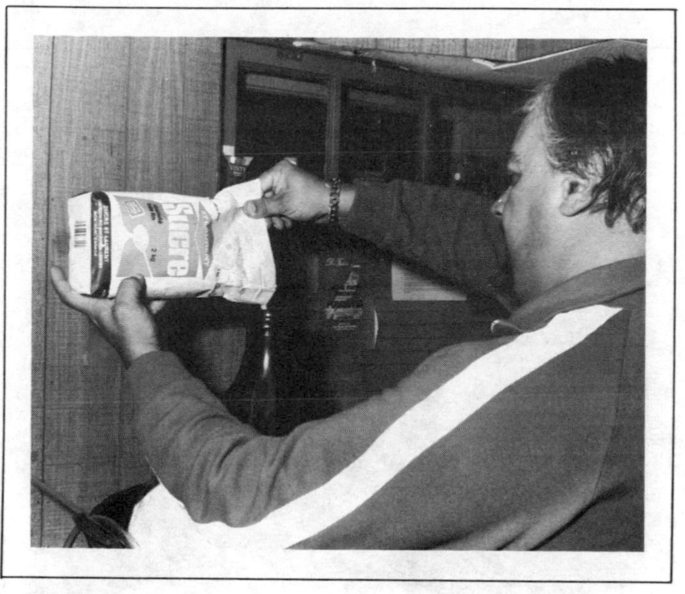

PHOTO 14 ***Le sucre***

Vous versez le sucre selon la recette, pendant que le moût est très chaud, pour qu'il se dissolve. Ou alors vous fabriquez un sirop de sucre.

PHOTO 15

Vous ajoutez les tablettes Campden écrasées selon la recette.

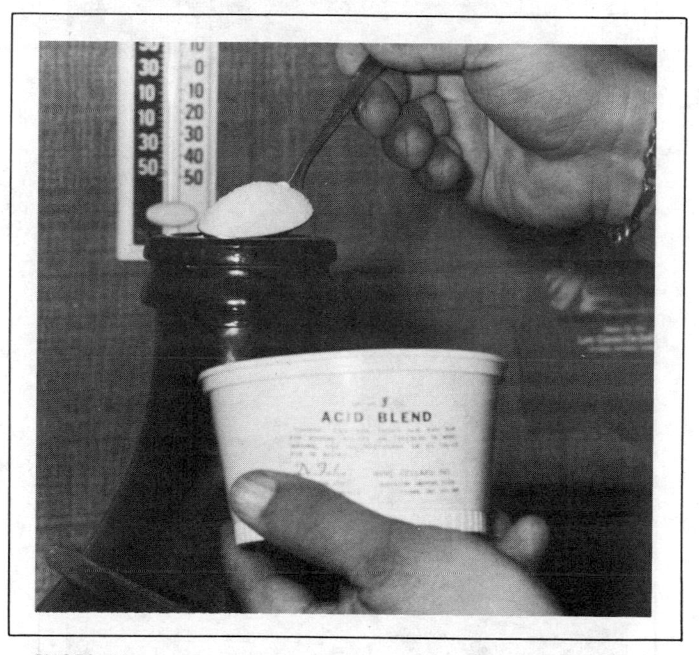

PHOTO 16

Vous y mettez le mélange acide.

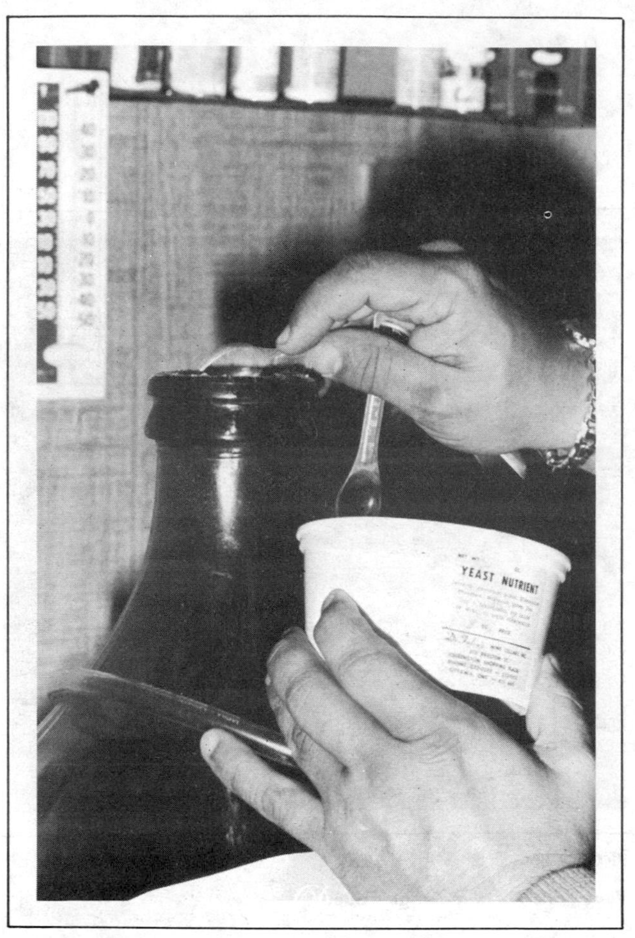

PHOTO 17

Vous incorporez la nourriture de levure.

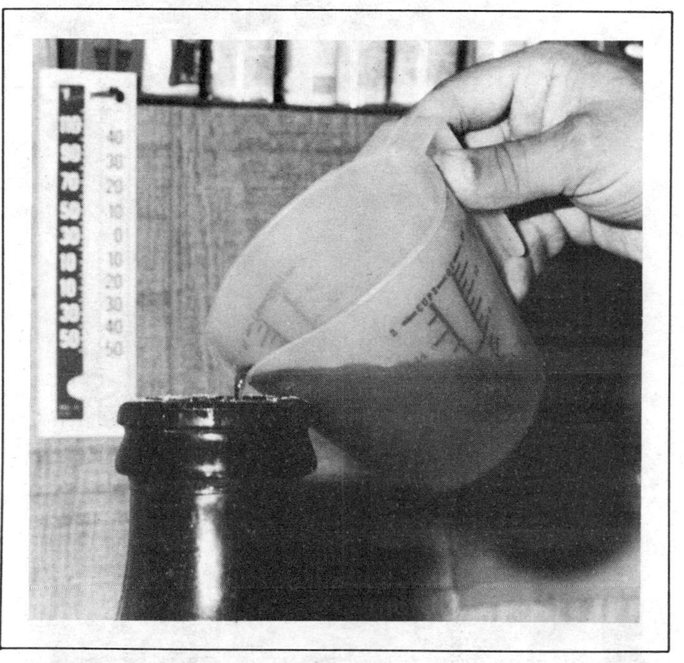

PHOTO 18 ***Le tanin***

Le tanin de raisin se vend en poudre mais si, par hasard, vous l'oubliez, 1/2 tasse de thé noir très fort par 5 gallons (22,5 litres) de moût peut remplacer cette poudre.

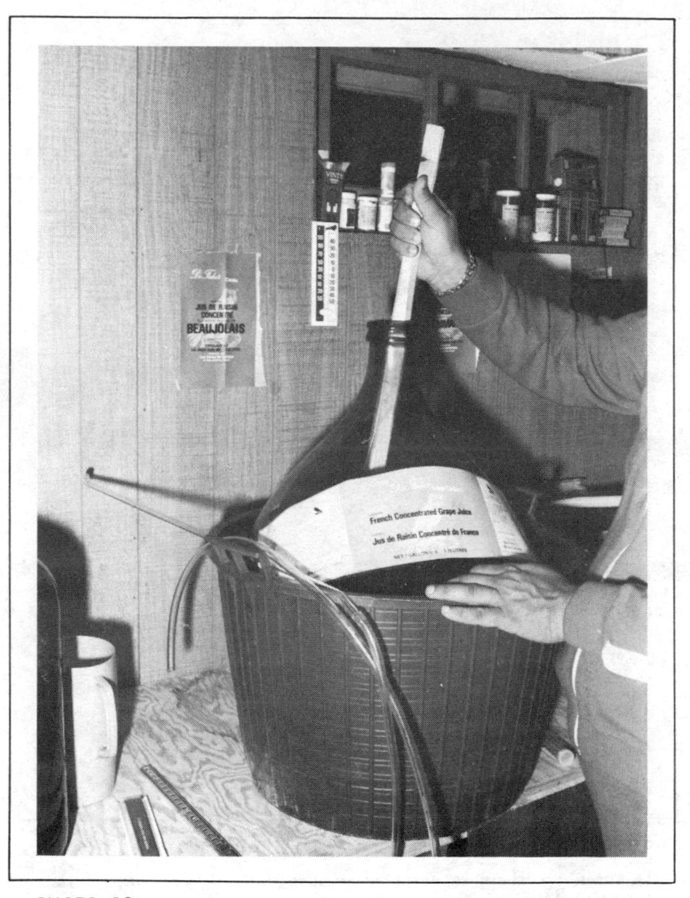

PHOTO 19

Puis, à l'aide d'un bâton de bois de frêne, chêne, bouleau, merisier ou cèdre vous brassez bien pour faire s'incorporer les ingrédients et fondre le sucre. Pendant 15 minutes, si possible.

PHOTO 20

Vous siphonnez un peu de moût dans votre éprouvette pour en vérifier la densité. Votre moût doit être d'environ 1090 pour le vin rouge et 1085 pour le blanc; vous devez alors ajouter du sucre ou de l'eau selon que le jus est trop faible ou trop dense.
Puis vous attendez que le tout soit refroidi à environ 23°C avant de mettre la levure.

21 — toujours garder vos cruches de fermentation secondaire bien pleines (deux à cinq cm (un à deux pouces) du bouchon).
Vous pouvez garder 5 à 10 litres (un ou deux gallons) de vin afin de remplir les cruches de temps à autre.

22 — lorsque votre vin a atteint le chiffre magique de 1000 à l'hydromètre, vous y ajoutez 1 tablette Campden par gallon de liquide (bien écrasées) et vous agitez pour bien répartir dans tout le moût.

23 — trois mois après le début de la première fermentation, l'hydromètre devrait indiquer entre 980 et 990.

24 — après 15 jours de cette vérification vous pouvez clarifier votre vin à l'aide de blancs d'œufs, de gélatine ou d'autres clarifiants commerciaux recommandés par votre fournisseur habituel.

25 — le vin est propre à boire, mais ne sera à point qu'après un an de vieillissement.

PIQUETTE (fabriquée à partir de votre premier vin)

Il arrive souvent que la piquette soit aussi bonne sinon meilleure que le premier vin. Il ne vous en coûtera que le sucre et quelques petits ingrédients comme la levure, l'acide et le tanin.

A — si vous avez soutiré 40, 60 ou 120 litres (10, 15 ou 30 gallons) de vin, ajoutez, au moût demeuré dans le baril, la quantité égale d'eau tiède.

B — pour chaque 4,5 litres (gallon) d'eau, ajoutez 1 kilo de sucre (2.2 livres)

C — pour chaque 4,5 litres (gallon) d'eau, 3 cuil. à thé de mélange acide.
D — pour chaque 4,5 litres (gallon) d'eau, 1 cuil. à thé d'amorce de levure (yeast nutrient)
E — pour chaque 4,5 litres (gallon) d'eau, 1/4 de cuil. à thé de tanin de raisin.
F — si la fermentation n'est pas commencée après 24 heures, ajoutez-y un sachet de levure de Bordeaux.
G — refaites les mêmes vérifications que lors de votre premier vin.
H — brassez 2 fois par jour.
I — lorsque la densité (à l'hydromètre) est tombée à 1.030 ou 1.020, soutirez dans des cuves secondaires. Vous doublerez, ce faisant, votre quantité de vin.
J — vous ne devez jamais laisser votre moût plus longtemps que sept ou huit jours dans la cuve de fermentation primaire, car vous risqueriez de voir votre vin tourner en vinaigre.
K — lorsque vous êtes prêt à embouteiller votre vin, il faut ajouter 1 tablette d'acide ascorbique pour chaque 4,5 litres (gallon) de liquide de vin, afin de conserver la couleur et le goût du vin.

LES RAISINS

GAMAY

C'est le raisin cultivé dans le Beaujolais où il devient un des meilleurs vins. Pourtant, ailleurs où on le cultive, il ne donne qu'un vin ordinaire.

CARIGNAN (ou CAREGANE)

Cultivé dans le sud de la France et le nord de l'Italie, il donne un vin robuste et souvent les portos.

CABERNET — SAVIGNON

Les meilleurs vins rouges de Bordeaux proviennent de ce raisin.

TRAMINER

Rhin, Alsace, Tyrol italien, arôme poivré. Il donne des vins rouges ou blancs selon qu'on laisse la pelure dans le moût ou qu'on l'en retire.

ZINFANDEL

De Californie, son origine est inconnue mais il donne de très bons vins rouges ou blancs.

PINOT NOIR

Ce raisin se transformera en bon bourgogne rouge ou en Champagne blanc.
Les meilleurs champagnes ne sont faits que de Pinot Noir.

GRENACHE

Le raisin dont on se sert dans la vallée du Rhône, où on fait les meilleurs rosés.

MERLOT

Donne un rendement élevé et des vins moelleux du Bordelais.

MOURVEDRE

Du Midi. Grand cépage.
Vieillit très bien.

VERDOT

Un des trois grands raisins de Bordeaux. Cultivé sur les Côtes-de-Blaye il donne l'appellation contrôlée A.O.C.

ALICANTE

Raisin qui donne un vin du type Roussillon, et dont le jus est rouge sans avoir à y laisser la peau.

ALIGOTÉ

De Bourgogne.

ARAMON

De la Vallée du Rhône, donne un vin lourd et commun.

BEGUIGNOL

Avec le Cabernet et le Verdot est un des trois cépages nobles qui donnent droit à l'appellation du BLAYAIS de BORDEAUX.

BOUCHET

Avec du vin de Bouchet, du sucre et de la cannelle on fait la boisson de Bouchet (il donne un vin frais et léger).

BOURBOULENC

Cultivé dans le Gard et le Vaucluse, il donne un vin claret dont la CLAIRETTE-DE-DIE (Drôme).

CABERNET FRANC

Cultivé en Gironde, venant de Bretagne, il est rustique et produit un vin solide.
Ne pas le confondre avec le Cabernet-Sauvignon.

CHENIN

D'Anjou et de Touraine.

CINSAULT

Du Midi de la France, sur les Côtes de Provence.

COT

Du Bordelais, dans la région de la Loire.

MALBEC

Vin fortement coloré et foncé. Base du vin de Cahors.

PALOMINO

Principalement employé pour la fabrication du Xérès espagnol mais on peut aussi en faire un vin léger de qualité ordinaire.

SAUVIGNON BLANC

Cultivé dans la région de Bordeaux, il donne les vins doux du Sauternais et les Graves secs.

PINOT BLANC

En France, en Allemagne et en Italie, il donne un vin sec et certains mousseux de type champagne.

SYLVANER

Cultivé en Alsace, en Californie, au Chili et en Autriche. Donne un vin léger.

CHARDONNAY (PINOT CHARDONNAY)

Le seul raisin autorisé par la loi pour les crus de Chablis. Il est cultivé également pour les bases du Champagne.

RIESLING

C'est dans la vallée du Rhin qu'est principalement cultivé ce cépage.
En Suisse, une de ses variétés se nomme le Johannisberg.

SÉMILLON

Il donne des vins de type Graves.

CHENIN BLANC

Les Vouvray mousseux sont faits à partir de ce raisin de la vallée de la Loire.

ALTESSE

De la région de Savoie, est originaire de Chypre.

BARBAROUX

Des Côtes de Provence. Vin blanc seulement.

BLANQUETTES

Ce cépage donne le vin blanc mousseux appelé Blanquette-de-Limoux (dans le Languedoc).

CHASSELAS

La base des vins d'Alsace. Dans le Valais suisse on l'appelle le Fendant et un vin porte ce nom.

COLOMBARD OU COLOMBAUD

De la Côte de Blayes, dans les Charentes et de Provence.

COURBU

Du Béarn, il est la base du vin de Jurançon.

CRUCHEN

Du Béarn, il est la base du vin de Jurançon.

FOLLE BLANCHE

Des Côtes de Blayes (Bordeaux).

GRENACHE BLANC

Cultivé dans les Pyrénées. Le rouge ou noir est aussi appelé alicante.

MADELEINE

Raisin précoce cultivé sur les côteaux de la Dordogne.

MALVOISIE

Des Pyrénées orientales; se transforme en vin doux et liquoreux appelés MUSCAT.

MANSEC

À la peau épaisse, il entre dans le Jurançon (BÉARN)

MARSANNE

Des côtes du Rhône, mêlé avec le Roussave, il devient une grande cure des cuvées de Saint-Peroy et de l'Hermitage.

MUSCADELLE

De Bordeaux; n'est presque plus cultivé pour les vins (MUSCADET DU GASCON).

MUSCADET

Syn-de-Melon (Bourgogne) dans la région de Nantes, on fabrique le MUSCADET véritable.

MUSCAT

De la région de Frontignan, dans le Languedoc. On le retrouve aussi en Auvergne.

NOAH

À la peau épaisse, il disparaît des vignobles à cause du peu de qualité des vins qu'il donne.

PACHERIN

De la Loire.

PICPOUL

Il est la base de la fabrication de l'Armagnac.

PLOUSSARD

Du Jura et de l'Alsace.

ROLLE

Des Côtes de Provence.

VERDELHO

Principal raisin des vignobles de Madère.

VIN BLANC SEC

Fait de raisins blancs (verts) ou rouges pressés

Le vin blanc n'est jamais fermenté avec la pulpe car il faut éviter de laisser le moût en contact avec l'air. Il faut absolument que les cuves de fermentation primaire et secondaire soient hermétiquement fermées à l'aide de bondes hydrauliques ou aseptiques. Il ne faut pas que la température de la pièce dépasse 21° C (70° F).
La couleur du vin blanc est susceptible de s'altérer au contact de l'air et le vin devient amer. Il peut tourner

facilement au brun lorsqu'il ne contient plus d'acide ascorbique.

Achetez du raisin blanc ou du jus de raisin. Foulez les raisins (sans les laver car vous enlèveriez le tanin d'acidité, ce qui est mauvais) et ajoutez-y immédiatement 10 tablettes CAMPDEN écrasées par 150 kilos de raisins. Il est bon de dissoudre les tablettes dans de l'eau chaude et de laisser refroidir avant d'ajouter aux raisins foulés.

1 — Puis pressez les raisins écrasés et mettez dans des cuves de fermentation remplies aux trois-quarts.

2 — Ajustez la densité de sucre à 1085 ou 1090 et l'acide à .70% ou .75%.

3 — Ajoutez les sachets de levure appropriés au type de raisin employé.

4 — Si la fermentation n'est pas commencée le troisième jour, ajoutez un sachet supplémentaire de levure (1 sachet par 23 litres (5 gallons) de liquide de moût).

5 — Lorsque la densité est à 1000, soutirez et assurez-vous de bien remplir les cruches.

6 — Lorsque la densité tombe sous 1000, ajoutez 1 tablette Campden pour chaque 4,5 litres (gallon) de vin. Laissez vieillir jusqu'à ce que le temps soit venu d'embouteiller.

7 — Après quelques mois, assurez-vous qu'il est bien clair ou clarifiez-le à l'aide de clarifiants commerciaux, et refroidissez afin de précipiter ces clarifiants au fond.

8 — Ajoutez 1 tablette écrasée d'acide ascorbique pour chaque gallon de vin, afin qu'il ne change ni de couleur ni de goût. C'est à deux ans que le vin blanc est à point.

9 — Dès que vous avez pressé le raisin, commencez un vin de piquette. Si la pelure est blanche, votre piquette le sera; autrement, si la peau du raisin est rouge, le second vin sera rouge même si le premier est blanc.

VIN SUCRÉ: SIMPLE À FAIRE

Plus loin, nous vous donnerons les véritables méthodes de fabrication des xérès et sherrys mais ici nous vous parlons d'un vin doux et sucré simple à fabriquer. Les portos sont très longs à faire et doivent vieillir longtemps avant d'être bus.
Mais vous pouvez sucrer le vin sec que vous avez fait.

1 — Sucrez-le à votre goût (avec du sirop de sucre fait de 2 parties de sucre pour une partie d'eau tiède).

2 — Ajoutez ½ tablette de neutralisant à levure pour chaque bouteille de 750 ml (26 onces).

3 — Laissez vieillir 6 mois.

LE VIN FABRIQUÉ À PARTIR DE CONCENTRÉS

Vins apéritifs — Vins de fruits: secs ou sucrés — Vins de raisins hybrides — Concentrés de vins blancs de France — Concentrés de vins rouges de France — Concentrés de vins rouges d'Italie — Concentré de Beaujolais — Concentré de Bordeaux — Du Pommard sec et velouté — Valencia espagnol — Chablis

Fabriquer du vin à partir de concentrés fait qu'il est IMPOSSIBLE DE MANQUER SON COUP.

La fabrication de ce vin est tellement simple que toute personne connaissant les rudiments élémentaires de la propreté peut faire son vin sans risquer de le rater.

Aussi les quelques recettes qui suivent vous le prouveront. Elles se basent sur des concentrés bien connus et faciles à obtenir chez tous les bons fournisseurs.

Les concentrés que l'on peut se procurer pour faire des vins divers sont de plus en plus nombreux. En 1970, ces concentrés se résumaient à des importations d'Espagne et du Portugal. Puis la Californie se mit aussi à déshydrater le jus de raisin par une méthode spéciale qui fait que la reconstitution est d'une facilité enfantine.

Les vignobles de France, d'Italie, d'Espagne, du Portugal, de Californie et plus récemment de la vallée du Niagara en Ontario déshydratent les surplus de production de jus de raisin pour les écouler sur le marché de la fabrication domestique. Heureusement pour nous tous, car si le vin augmente de prix constamment, le jus concentré de raisin n'augmente pas au même rythme puisqu'il n'est pas soumis au contrôle des régies respectives, principales responsables des augmentations régulières.

Concentrés de raisins destinés à être transformés en:

VINS APÉRITIFS

Xérès, Madère, Muscatel, Porto et Sherry.

VINS DE FRUITS: SECS OU SUCRÉS

Fraises, framboises, cerises rouges, cerises noires, cerises amères, mûres, pêches, abricots, nectarines, groseilles, baies de sureau et fruits de l'arbre à passion.

VINS DE RAISINS HYBRIDES

Concentrés espagnols « Valencia », rose, rouge et blanc.
Concentrés français de Bourgogne, rouge et blanc
de Bordeaux, rouge et blanc
d'Anjou, rosé.

Les grands vignobles aussi ont des surplus de production qu'ils ne peuvent transformer en vin par manque d'espace et qu'ils doivent vendre sous forme de concentrés. Ces concentrés des grands vignobles sont les favoris des amateurs de fabrication de vin et la production s'envole vite lorsque les arrivages sont étalés pour la vente.

Les concentrés de raisins provenant des grands vignobles sont:

CONCENTRÉS DE VINS BLANCS DE FRANCE

1 — Bourgogne
2 — Bordeaux
3 — Chablis
4 — Graves
5 — Liebfraumilch
6 — Merlot
7 — Moselle
8 — Riesling
9 — Sauternes

PHOTO 21 ***Concentrés français***

Concentrés de Valence, Bourgogne, Beaujolais, Pommard, Sauternes, Chablis, Bordeaux, Rhône, Médoc.

PHOTO 22 ***Concentrés italiens***

Bardolino, Barbera, Chianti, Barolo et Lambrusco.

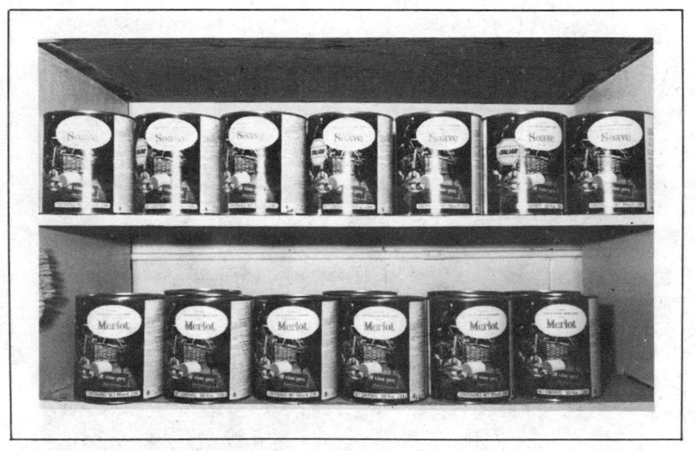

PHOTO 23 ***Concentrés***

Soave, Merlot

PHOTO 24 ***Concentrés***

Concentrés de Californie, du Portugal, de la vallée du Niagara (Concord) et un hybride français.

PHOTO 25 ***Concentrés de fruits***

Cerises de Virginie, cerises rouges, cerises noires, pêches, framboises, poires, groseilles à maquereaux, fraises, nectarines, mûres, fruits de l'arbre à passion, baies de sureau, abricots et pommes.

CONCENTRÉS DE VINS ROUGES DE FRANCE

10 — Bourgogne rouge
11 — Beaujolais
12 — Bordeaux rouge
13 — Cabernet — Sauvignon
14 — Médoc
15 — Buby — Cabernet

CONCENTRÉS DE VINS ROUGES D'ITALIE

16 — Barbera
17 — Bardolino
18 — Bardolo
19 — Chianti
20 — Lambrusco
21 — Valpolicella
22 — Asti Spumante (vin blanc mousseux de type champagne)

CONCENTRÉ DE BEAUJOLAIS

vin rouge sec — une recette de Dominic De Falco pour 23 litres (5 gallons).

Ingrédients

3 ½ litres (140 onces) de concentré de jus de raisin de Beaujolais
16 litres (630 onces) d'eau chaude
1,35 kg (3 livres) de sucre blanc granulé
25 ml (1 once) de mélange acide *(acid blend)*
5 cuil. à thé rases de nourriture de levure *(yeast nutrient)*

1 cuil. à thé rase de tanin de raisin (tanin de vin)
1 enveloppe de levure de vin de Beaujolais
5 tablettes Campden.

Équipement nécessaire

- une cuve de fermentation primaire 30 litres (7 gallons)
- une cruche de fermentation secondaire 23 litres (5 gallons)
- un bouchon de caoutchouc troué
- une bonde aseptique ou hydraulique
- un boyau à siphonner
- une feuille de plastique (pour couvrir la cuve)
- ensemble d'hydromètres.

Videz le concentré de raisin dans la cuve de fermentation primaire, ajoutez-y l'eau chaude (la quantité d'eau représente 4 fois et demie le contenant du concentré de jus de raisin).

Prenez une lecture avec l'hydromètre lorsque vous aurez bien mélangé l'eau et le jus de raisin. La lecture sera à peu près de 1070. Faites alors fondre le sucre dans un peu (très peu) d'eau chaude et ajoutez la moitié au mélange. Brassez de nouveau et prenez une seconde lecture d'hydromètre. Continuez ce manège jusqu'à ce que vous obteniez une lecture de 1085 de densité.

Dès que la densité est de 1085, ajoutez tous les autres ingrédients, sauf la levure. Mélangez bien.

Prenez la température de votre moût et attendez qu'elle soit descendue à 27° C (80° F) avant d'ajouter le sachet de levure.

Couvrez la cuve avec la feuille de plastique et attachez à l'aide d'un élastique.

Au bout de 7 jours, ou dès que la densité du moût est tombée à 1000, soutirez le vin par siphonnage dans des cruches secondaires. Fixez la bonde hydraulique sur le bouchon troué et fixez sur la cruche.

Prenez une lecture de densité une fois par semaine. Dès qu'elle est moins de 1000, ajoutez les tablettes Campden bien écrasées, puis soutirez par siphonnage, nettoyez les cruches et remettez de la même façon jusqu'à ce que la fermentation s'arrête. Lorsque la fermentation est arrêtée, laissez vieillir 3 semaines puis embouteillez. Laissez reposer 6 mois pour un meilleur vin, et une bonne clarification.

Le Beaujolais se boit jeune. Il est buvable après 3 mois d'arrêt de fermentation mais sera meilleur entre 1 et 3 ans.

CONCENTRÉ DE BORDEAUX

23 litres (5 gallons)

3 1/2 litres (140 onces) de concentré de raisin de Bordeaux
14,2 litres (560 onces) d'eau chaude
1 kilo (2.2 lb) de sucre granulé (ou une quantité vous donnant une lecture de densité de 1,085 à l'hydromètre)
4 tablettes Campden
25 ml (1 once) de mélange d'acides (équivalent de 70%)
4 cuil. à thé de nourriture de levure
3/4 de cuil. à thé de tanin de vin
1 sachet de levure de Bordeaux
57 grammes (2 onces) de copeaux de chêne (des copeaux de bois achetés chez le marchand d'équipement de caves à vin)

1 — Mélangez tous les ingrédients (sauf la levure et les copeaux de chêne) dans la cuve de fermentation primaire.
2 — Laissez refroidir le moût à 24° C (75° F).

3 — Ajoutez alors la levure, couvrez la cuve d'une feuille de plastique et attachez bien.
4 — Lorsque la densité du moût est descendue à 1000 ou lorsque cette première fermentation en est à sa septième journée, siphonnez dans des cruches secondaires et fermez bien à l'aide de bondes hydrauliques.
5 — Deux ou trois semaines plus tard, ou lorsque la densité arrive à 1000, siphonnez de nouveau en arrosant bien de vin les copeaux de chêne.
6 — Ajoutez 1 tablette Campden pour chaque gallon de vin ; ajustez les bondes hydrauliques.
7 — Après 3 mois, siphonnez le vin de nouveau en vous débarrassant des copeaux.
8 — Lorsque le vin est clair et stabilisé, dissoudre 1 tablette anti-oxydante (acide ascorbique) par 4,5 litres (gallon) de vin.
9 — Mettez dans des cruches et laissez vieillir à l'obscurité avant d'embouteiller.
10 — Embouteillez et soyez heureux.

DU POMMARD SEC ET VELOUTÉ

Il faut agir de la même manière que pour le Bordeaux, sauf qu'il faut oublier les copeaux de chêne, qui ne doivent pas être mis en contact avec le moût de Pommard, beaucoup plus fragile, mais qui vieillit bien et se conserve dix ans et plus.
C'est probablement le plus grand vin que l'on puisse faire en partant de concentrés.

VALENCIA ESPAGNOL

Recette De Falco

4 litres (160 onces) de concentré de raisin de Valence
16 litres (640 onces) d'eau chaude

Mélangez bien, puis prenez une lecture d'hydromètre.
Ajoutez le sucre nécessaire à l'obtention d'un mélange d'une densité de 1085.
Ajoutez 5 cuil. à thé de nourriture de levure
5 cuil. à thé de mélange acide.
Attendez que le moût soit refroidi à 4° C (75° F), puis ajoutez: 1 sachet de levure de Beaujolais
Couvrez immédiatement avec une bonde hydraulique.
En deux ou trois semaines, le moût aura une densité de 1000. Siphonnez alors dans des cruches de fermentation secondaire, ajoutez 4 tablettes Campden (bien écrasées) et laissez fermenter encore afin d'obtenir un vin plus alcoolisé.
Tous les 15 jours, siphonnez afin de clarifier et de faire diminuer la fermentation. Lorsque votre hydromètre vous donne la même densité deux fois de suite, c'est que la fermentation est arrêtée.
Vous pouvez alors laisser vieillir dans les cruches bien bouchées.
Ce sera un vin de table corsé et fruité.

CHABLIS
Vin blanc de type champagne

2½ litres (100 onces) de concentré de raisin Pinot blanc (Chablis)
14 litres (550 onces) d'eau chaude
1 kilo (2.2 lbs) sucre blanc granulé
38 ml (1½ once) mélange acide
5 cuil. à thé de nourriture de levure
½ cuil. à thé de tanin de raisin

1 sachet de levure (de Chablis)
5 tablettes Campden — 5 tablettes d'acide ascorbique

1 — Mélangez tous les ingrédients sauf la levure.
2 — Lorsque le moût est à 24° C (75° F), ajoutez le sachet de levure. La fermentation prendra 3 à 4 jours à commencer. Ajustez la bonde hydraulique.
3 — Au bout de 5 ou 7 jours, ou lorsque la densité est tombée à 1000 ou moins, siphonnez dans les cruches de fermentation secondaire et fixez les bondes.
4 — Siphonnez de nouveau dans 4 semaines ou lorsque la densité est de 1000 ou moins. Ajoutez les tablettes Campden écrasées.
5 — Lorsque le vin est stable et clarifié, embouteillez en ajoutant un anti-oxydant (1 tablette d'acide ascorbique par 4,5 litres (gallon) de vin).
6 — Laissez vieillir dans un endroit sombre, pendant 6 mois à 1 an.

LES LEVURES DE VIN

Amorce de levure — La nourriture de levure — Levures spéciales en vente chez les marchands

Dans la fabrication du vin, il faut prendre des précautions pour que le vin ne goûte pas les pommes de terre ou le pain. Il est donc important de bien sélectionner les levures de vin appropriées à la sorte de raisin ou à la sorte de concentré de raisin que vous désirez transformer en vin.
Pour un vin de type Bordeaux, vous devez absolument employer une levure spécialement cultivée pour le type Bordeaux. Il en va de même lorsque vous désirez transformer un raisin ou un concentré de type Bourgogne ou Beaujolais ou Chablis.
La levure est un organisme vivant du type champignon. Chaque grain ovoïde est un unicellulaire qui se reproduit par lui-même par une espèce de bourgeonnement. Il faut environ deux heures à un bourgeon pour se détacher de la cellule mère et deux autres heures pour qu'il soit adulte et puisse se reproduire par lui-même et recommencer le cycle de multiplication. Chaque cellule se redivise en deux presque toutes les deux heures; la multiplication de ces organismes vivants permet la transformation du sucre de raisin en alcool et pousse les gaz carboniques hors du moût, le préservant de l'air ambiant et du danger de la transformation en vinaigre.
En termes plus simples: la levure se nourrit de sucre et, en retour, produit une quantité égale de gaz carbonique et d'alcool. Nous laissons s'échapper le gaz carbonique et nous tentons de conserver le plus d'alcool possible.
C'est donc le taux de sucre qui détermine le pourcentage d'alcool qui demeurera dans le vin, à condition que la levure ait la force voulue pour le transformer. De là l'impor-

tance d'employer la *BONNE LEVURE* en proportion de la quantité de vin à fabriquer.

La levure ne peut se nourrir ni se multiplier si elle n'est pas dans un milieu favorable et si on ne lui donne pas la bonne nourriture pour qu'elle prolifère.

Elle sera inactive si la température est inférieure à 6° C (43° F). Une levure est active entre 18 et 24° C (65 et 75° F). À une plus grande température elle perd de la force et meurt automatiquement à 95° F.

Ne prenez jamais en considération une recette qui vous dit de commencer une fermentation à une plus haute température que 24 ou 27°C (75 ou 80°F).

N'oubliez jamais que la levure est aussi importante que les autres ingrédients dans la fabrication du vin. Elle a une influence directe sur le goût, l'odeur, la clarté, la force du vin et aussi sur sa qualité de conservation.

La levure se retrouve sur les peaux des raisins employés dans la fabrication du vin. Ces micro-organismes sont donc naturels et le raisin, une fois écrasé, pourrait — je dis bien «pourrait» — se transformer en vin sans l'aide d'addition de levure.

Toutefois, se trouvant en très petite quantité, cela risquerait de prendre tellement de temps à proliférer dans le moût que celui-ci pourrait être contaminé par l'air et la mouche du vinaigre. De plus, les moisissures pourraient gâter votre vin. Ne tentez pas d'économiser quelques sous en employant une levure de pain ou autre. Vous le regretteriez.

De plus, les cultures sélectionnées se mettent en action très rapidement (24 à 48 heures), sans que vous ayez besoin de préparer une amorce de levure, pour autant que la quantité de vin désirée ne soit pas supérieure à 60 ou 80 litres (15 ou 20 gallons) à la fois.

AMORCE DE LEVURE

Un sachet de 7 grammes (1/4 d'once) de levure sélectionnée est assez puissant pour faire fermenter 23 litres (5 gallons) de vin. Aussi il est inutile d'en acheter plus qu'il n'en faut. Il est toutefois bon d'en avoir une enveloppe supplémentaire au cas où, éventée ou trop faible, la première n'agirait pas.

Les premiers jours, la fermentation est très lente. La levure se multiplie jusqu'à ce qu'elle ait obtenu une concentration idéale au milieu de la culture. Pendant ce premier stade de fermentation, la levure ne produit pas d'alcool. Le second stade de fermentation est bruyant et produit une abondante mousse, des sifflements produits par des gaz carboniques; le sucre est alors rapidement transformé en alcool.

Plus longue est la période primaire de fermentation, plus les dangers de contamination sont grands, sauf dans le cas d'emploi de concentrés car vous pouvez alors fixer une bonde hydraulique sur le contenant, afin d'empêcher l'air d'entrer.

Afin de faire commencer la fermentation le plus rapidement possible, il est important, surtout dans le cas de fabrication d'une grande quantité de vin, de préparer une amorce. On conseille une amorce d'un volume de 3 à 4% du total du moût.

Dans le cas d'une quantité de 45 litres (10 gallons), vous réservez 1 1/2 litre (80 onces) du moût.

Versez-y la quantité de levure nécessaire à vos 10 gallons de vin (2 sachets de 7 grammes (1/4 d'once) et couvrez le récipient d'une feuille de plastique. Tenez à 21° C (70° F) pendant 3 jours et versez dans le moût.

LA NOURRITURE DE LEVURE

Une levure a besoin de nourriture pour bien proliférer et garder sa force afin de fournir un vin plus fort en alcool et qui se clarifiera plus rapidement qu'un vin faible. Cette nourriture se vend sous forme de poudre. Elle contient des sels qui produisent de l'azote permettant à la levure de se développer et de transformer le sucre en alcool.
Lisez bien le mode d'emploi ou encore la recette proposée. Il arrive que certains fruits possèdent suffisamment de nourriture de levure, mais il ne peut être nocif d'en rajouter.

LEVURES SPÉCIALES EN VENTE CHEZ LES MARCHANDS

Levures de vins rouges	*Levures de vins blancs*
BEAUJOLAIS	CHABLIS
BORDEAUX	CHAMPAGNES
BOURGOGNES	LIEBFRAUMILCH
CHIANTIS	SAUTERNES
TOUT USAGE	TOUT USAGE

Et pour le Sherry Flor, la levure de Sherry Flor.

LE SUCRE

Il n'existe que quelques variétés de raisins qui possèdent suffisamment de sucre pour que vous ne soyez pas forcé d'en ajouter. Les autres fruits n'en contiennent pas assez non plus.
Il est bon de vérifier la densité des moûts et d'ajouter le sucre nécessaire à l'obtention d'une densité idéale pour la

sorte de vin que vous désirez fabriquer. Le vin sec nécessite une densité de 1070 à 1095.

EAU

Dans certaines villes la densité de chlore dans l'eau peut tuer votre levure et (ou) donner un mauvais goût à votre vin. Le vin blanc est particulièrement sensible à ce facteur.
Si l'eau est forte en chlore, il faudra que vous la fassiez bouillir avant de la mélanger au moût. À l'ébullition, le chlore s'évaporera et si vous avez un puits artésien, et que l'eau est alcaline, cette ébullition précipitera les minéraux au fond du récipient ou les homogénéisera.
Une eau est forte en chlore lorsque l'analyse vous donne plus de 5 parties par million.

COLORATION

Il existe des colorants faits de concentrés extraits de peaux de raisins, et vous pouvez teindre un vin qui serait trop pâle.
Dans le commerce, ces colorants sont prohibés mais certaines compagnies outrepassent cette restriction.
N'employez pas de colorants à pâtisserie, car ils risqueraient de gâter votre vin s'ils ne résistent pas au tanin du raisin.

LE TANIN DE RAISIN

Le tanin naturel du raisin se retrouve dans les pépins, sur et dans les rafles (grappes) et sur la peau des raisins. Il est contenu dans la fine pellicule de buée qui recouvre le raisin. Le tanin ajoute du caractère au vin et contribue à sa clarification. Il aide à sa conservation. Il se vend aussi chez le marchand d'articles de fabrication de vin.

CLARIFICATION

Normalement quatre ou cinq soutirages, dont 3 après la fin de la fermentation, suffisent à clarifier votre vin et à lui donner cette apparence cristalline. Toutefois il arrive que la pectinose des fruits garde les éléments en suspension et empêche votre vin de se clarifier.

GÉLATINE

Utilisez une cuillerée à thé de gélatine sans goût dans 23 litres (5 gallons) de vin.
La méthode est simple. Soutirez 600 ml (vingt onces) de vin et laissez-y tremper la gélatine pendant trente minutes puis faites chauffer à 82° C (180° F) pour faciliter la dissolution. Incorporer ensuite à tout volume de vin et laisser reposer pendant 10 à 15 jours. Lorsque les solides déposent au fond, soutirez le vin ; il sera clair.
Il existe aussi des clarifiants commerciaux qui sont excellents.

MESURE DU POURCENTAGE D'ALCOOL

Un alcoomètre ou vinomètre vous permettra de mesurer la teneur en alcool mais cet appareil coûte très cher et est inutile pour faire ce travail sur les vins doux.

Une méthode simple qui ne nécessite que l'hydromètre est possible. La lecture de l'hydromètre, après que vous avez ajouté le sucre, sera votre guide. Lorsque votre vin a cessé de fermenter, prenez une lecture d'hydromètre et déduisez cette lecture de la lecture du début.
Divisez le résultat par 7.36 et vous obtiendrez le pourcentage d'alcool par volume que contient votre vin.
Multipliez ce résultat par 7 puis divisez par 4 et vous obtiendrez la force en alcool appelée « titre ».

Exemple

lecture initiale	1125
lecture finale	1002
	123

123 ÷ 7.36 = 16.7% alcool par volume
multiplier par 7 = 116.9 ÷ 4 = 29.2 degrés-titre.

Pour renverser le titre en pourcentage d'alcool, multipliez par 4 et divisez par 7.

LE CARRÉ PEARSON

Lorsque vous avez envie de fortifier un vin avec de l'alcool, il vous faudra connaître exactement combien en ajouter pour atteindre le résultat désiré.
Il vous faut connaître le volume en pourcentage et le degré d'alcool.
Ne confondez surtout pas les deux.

A D

C

B E

A = Le contenu d'alcool (en esprit) à ajouter
B = Le contenu d'alcool dans le vin
C = La quantité d'alcool désirée dans le vin
D = La différence entre B et C
E = La différence entre C et A

La proportion de D à E est la proportion d'esprit d'alcool à ajouter pour obtenir la force désirée.
Si vous mélangez deux vins de force connue et désirez connaître le résultat final de ce mélange, la formule est la suivante:

$$(A \times B) + (C \times D)$$

$A + C$

A = La quantité (en parts — 1 pour 1 ou 2 pour 1) du 1er vin
B = La force du 1er vin
C = La quantité (en parts) du second vin
D = La force du second vin
Si vous mélangez deux parties de vin à 15% avec trois parties de vin à 10% le résultat serait:

$$\frac{(2 \times 15) + (3 \times 10)}{2 + 3} = \frac{60}{5} = 12$$

ou un vin de 12%

EMBOUTEILLAGE

Le choix des bouteilles — Nettoyage — Mise en bouteilles — Bouchons — Mâche-bouchons ou bouchonneuse — Bouchons de mousseux et de Champagne — Étiquetage — Entreposage-vieillissement — Principes de vieillissement — Tire-bouchons — La fermentation malo-lactique

Il ne faut pas se hâter d'embouteiller le vin. Dans les cruches de fermentation secondaire, si elles sont fermées à l'aide de bondes hydrauliques, le vin vieillira mieux qu'en petites bouteilles. Cela vous permettra d'ailleurs de le clarifier à souhait.
Lorsque vous serez prêt à embouteiller, faites-le d'un trait ou mettez en cruches de 1 gallon afin de laisser vieillir. Cela vous permettra d'embouteiller 5 ou 6 bouteilles à la fois, à l'ouverture de chaque gallon.
Le vin de Beaujolais peut se boire dès qu'il est prêt à embouteiller (3 mois après la fin de la fermentation) mais il est préférable de lui laisser une année de vieillissement.

LE CHOIX DES BOUTEILLES

N'importe quelle bouteille qui peut être bouchée à l'aide d'un bouchon de liège peut être employée. Il est toutefois préférable de se servir de bouteilles de vin véritables. Votre restaurateur favori se fera un plaisir de vous donner ses bouteilles usagées. Vos amis se feront aussi un plaisir de vous aider à les recueillir.
Les invités seront critiques s'ils voient votre vin dans des bouteilles de Scotch ou de Rye. Les bouteilles fortement colorées, brunes ou vertes, sont toutes désignées pour protéger le goût et la couleur de votre vin rouge. Les

PHOTO 26 ***Les bouteilles (de gauche à droite)***

1 — Mousseux en verre renforcé et rebord pour le fil de fer
2 — à épaules = Bordeaux, Corvos, Valpolicellas, Secco
3 — sans épaules = Bourgognes — Beaujolais
4 — Rosés : Portugais, Espagnols, Grecs
5 — vins blancs et rosés = Rhin, Moselle.

PHOTO 27 ***Bouteilles (de gauche à droite)***

a — Mousseux
b — Bourgogne — Beaujolais
c — Bordeaux
d — Rhin — Moselle

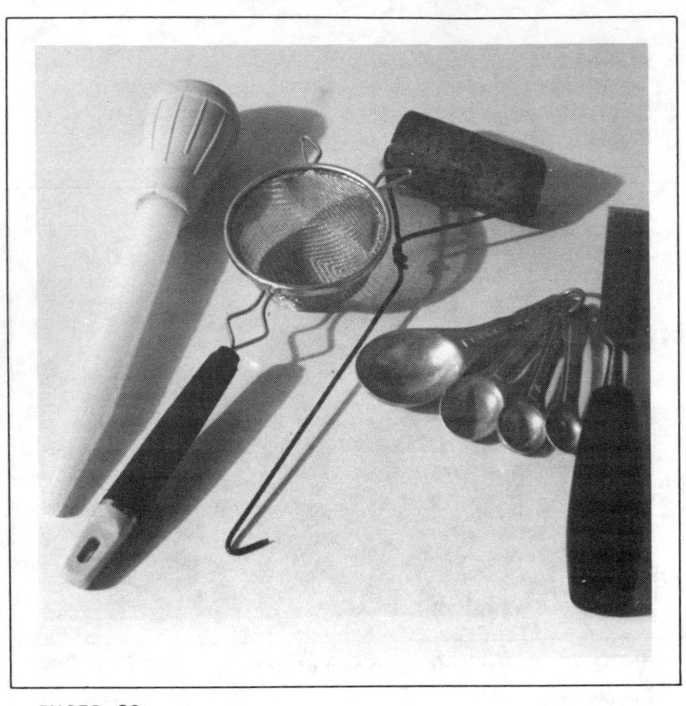

PHOTO 28

De gauche à droite:

1 — poire à voler du vin pour faire les tests.
2 — une passoire à grillage double pour grumeaux.
3 — petit outil fait avec un cintre pour enlever les bouchons enfoncés dans les bouteilles.
4 — un ensemble de cuillers à mesurer.
5 — un ciseau pour couper les collets de plastique des bouteilles usagées.

PHOTO 29

Un capsuleur, des capsules d'aluminium, une bouteille étiquetée et capsulée.

bouteilles claires peuvent très bien convenir au vin blanc qui ne s'altère pas aussi facilement au contact de la lumière.

NETTOYAGE

La première opération est le trempage à l'eau chaude pour en décoller les vieilles étiquettes. Puis le nettoyage à l'eau bouillante additionnée de chlore ou d'ammonium quaternaire. Les moisissures de fonds de bouteilles seront ainsi éliminées.
Puis rincer pour enlever toute trace de détergent. Un lave-bouteille, fixé à votre robinet, vous facilitera la tâche.

MISE EN BOUTEILLES

Lors du siphonnage, il est bon que vous obteniez de l'aide. Laissez toujours libre l'espace du bouchon afin de ne pas éclabousser. Dans le chapitre sur les tablettes Campden, nous vous donnons la recette de stérilisant. Ce stérilisant doit être versé dans chaque bouteille que vous tournez ensuite à l'envers après avoir transvidé dans la bouteille suivante.
Avant de boucher vos bouteilles, assurez-vous d'avoir ajouté de l'acide ascorbique (vitamine C) comme anti-oxydant, pour préserver la couleur et le goût du vin. Une tablette par 4 ou 5 litres (gallon) suffit.
Dans le cas des vins doux (vins sucrés) il faut vous assurer que la fermentation est bien terminée car, si elle recommençait une fois les bouchons insérés, vos bouteilles exploseraient en faisant de graves dégâts et en risquant de blesser des gens.

Si vous n'êtes pas sûr de la fin de la fermentation, ajoutez des tablettes de sorbate de potassium qui tueront la levure et préviendront les explosions. Suivez alors les instructions sur les contenants car les marques différentes ont des modes d'emploi différents.

Pour les vins mousseux et les champagnes, il faut absolument employer les bouteilles à double épaisseur pour éviter les explosions.

BOUCHONS

N'employez jamais de bouchons usagés pour boucher vos bouteilles. Le vin qui a imbibé ce bouchon au contact de l'air peut avoir été contaminé par la bactérie du vinaigre. De plus, s'il est usagé, il vous sera possible de le rentrer à la main, ce qui est mauvais. Il est alors trop petit et ne protégera pas votre vin de l'air. Employez des bouchons neufs qui sont plus gros que le goulot de la bouteille. Il vous faudra les compresser à l'aide d'un mâche-bouchon (bouchonneuse) et les rentrer sous pression.

Les bouchons de liège proviennent de l'écorce d'un arbre (chêne) qui pousse en Espagne et au Portugal. La grosseur idéale pour les bouteilles de vin est de 22,5 mm × 40 mm.

Il faut les tremper d'abord dans l'eau chaude additionnée de 60 grammes (2 onces) par 5 litres (gallon) de sulfite. (Les pilules Campden à raison de 10 écrasées par 5 litres (gallon) d'eau.)

Si vous employez des bouchons cirés, vous n'avez pas besoin d'ébouillanter et de sulfiter. Il faudra peut-être que vous huiliez un peu l'intérieur de votre bouchonneuse afin de faciliter le glissement du bouchon. Un peu d'huile végétale suffira mais très peu, car cela risquerait de se répandre dans le vin.

MÂCHE-BOUCHONS OU BOUCHONNEUSE

Vous avez avantage à vous acheter un bon appareil à bouchonner car cela facilite grandement l'opération. De plus, l'amortissement d'un tel équipement se fait sur une période de 15 ou 20 ans.
La bouchonneuse peut coûter $ 20 si elle est manuelle et $ 100 si elle est sur pied.

BOUCHONS DE MOUSSEUX ET DE CHAMPAGNE

Pour les vins mousseux et les champagnes il est préférable d'utiliser les bouchons de nylon et de plastique que l'on peut facilement couvrir à l'aide du fil de fer spécialement conçu à cet effet.

ÉTIQUETAGE

Il est important que vous étiquetiez vos bouteilles afin de garder en mémoire le type de vin, la couleur, le cépage, le pays d'origine, la marque de commerce, la date de fabrication et votre nom.
Les étiquettes identifiant les différentes sortes de vins se vendent chez les marchands. Toutefois, je n'en ai pas encore trouvé en français.

ENTREPOSAGE — VIEILLISSEMENT

Vous pouvez vous construire une armoire à vin qui peut contenir jusqu'à 350 bouteilles dans 1 ½ m (5 pieds) de largeur par 2 m (6 pieds) de hauteur.

Vous pouvez aussi vous servir de tuiles de drain en terracotta, de boîtes de conserves, de casiers en losanges ou autres.
De toute façon, il faut que votre vin soit au frais et à l'ombre. La pénombre ou l'obscurité.
Il faut que vos bouteilles soient couchées afin que le bouchon soit toujours humide pour empêcher qu'il ne rétrécisse et pour qu'il soit plus facile à enlever.
Si vous capsulez ou vissez des bouchons, il faut que vous laissiez les bouteilles en position verticale.

PRINCIPES DE VIEILLISSEMENT

1 — La patience est la clé de l'obtention d'un bon vin. Il n'est pas recommandé de boire le vin dès que nous l'embouteillons.
Si votre vin a séjourné 3 mois dans les cruches à fermentation secondaire, il faudra qu'il reste au moins trois mois en bouteille avant que vous ne puissiez jouir pleinement de son bouquet. Je considère qu'un vin n'a pas de qualité avant un an mais il est vraiment à point après trois ans.
Le vin blanc se boit plus jeune que le rouge et parmi ceux-ci, le Beaujolais se boit le plus jeune, à un an, soit juste avant les vendanges suivantes.

2 — La vibration est l'ennemi mortel du vin qui vieillit. Attention aux dessous d'escaliers et à la proximité des laveuses et sécheuses automatiques.
3 — Éloignez vos bouteilles des contenants de térébenthine, de varsol, de peinture, d'ammoniaque ou d'huile à chauffage. Ces substances peuvent pénétrer les bouchons de liège défectueux et gâter votre vin.

4 — La température doit être uniforme. C'est-à-dire que les changements doivent se faire progressivement et naturellement. Ils ne doivent jamais être brusques. L'été, la chaleur est plus grande dans vos pièces mais cette chaleur s'installe lentement, ne causant aucun dommage au vin.
Le sous-sol est l'endroit rêvé pour l'entreposage et le vieillissement du vin, ou encore un placard sombre et frais.

TIRE-BOUCHONS

Les plus utiles sont ceux munis d'un levier qui facilite le travail; ils évitent bien des accidents.
Rejetez les injecteurs d'air qui risquent de faire exploser vos bouteilles.
Seuls les modèles qui agrippent fortement le bouchon sont recommandables, quel que soit le mécanisme qui les accompagne. Les autres risquent de percer le bouchon sans avoir la capacité de le tirer.

LA FERMENTATION MALO-LACTIQUE

Il arrive occasionnellement qu'une troisième fermentation s'amorce. Cela arrive généralement après l'embouteillage et très souvent une ou deux années plus tard.
Dans les cas de vin blanc, c'est extrêmement bénéfique car cela ajoute de la fraîcheur et réduit un peu l'acidité du vin. L'acide malique se retrouve surtout dans les pommes.
Pendant la fermentation malo-lactique, la bactérie gracile

que l'on retrouve dans les vins jeunes se met à agir sur l'acide malique en la convertissant en acide lactique. L'acide lactique est moins fort que l'acide malique et ajoute à cette fraîcheur qui fait quelquefois pétiller légèrement votre vin.

LES VINS MOUSSEUX

Méthode champenoise — Deuxième méthode — Troisième méthode

Les vins mousseux, y compris les champagnes, sont des vins qui contiennent du gaz carbonique. Ce gaz est enfermé sous pression dans la bouteille et lorsque vous relâchez cette pression, les bulles de gaz carbonique montent à la surface et produisent une effervescence ou mousse. Les mousseux rosés, les « SPARKLING », les CRACKLING, les ASTI SPUMANTE, les CODORNIU, les VINS FOUS sont autant de vins mousseux semblables aux champagnes.

MÉTHODE CHAMPENOISE

La méthode champenoise est longue et coûteuse. De plus, même en Champagne on doit concurrencer les mousseux américains qui sont additionnés artificiellement de gaz carbonique, à l'aide d'appareils à pression. On a trouvé une méthode rapide de créer une atmosphère (28 livres) de pression dans une bouteille en un laps de temps de deux mois, comparativement à 12 et 18 mois par la méthode traditionnelle.

Ces astucieux Français ajoutent à leurs vins blancs de qualité supérieure, gros comme une fève de glace sèche et bouchent rapidement à l'aide de broches. On tourne la bouteille à l'envers et on la ramène en position debout une fois tous les deux jours pendant deux mois. Puis on débouche et on boit ce vin mousseux.

DEUXIÈME MÉTHODE

A — Rosé, rouge ou blanc, le vin moussera. Il faut que vous fabriquiez un vin de bonne qualité qui aura entre 10 et 11½% d'alcool en volume. Cette limite d'alcool est importante.

B — Lorsque votre vin est stabilisé, clarifié et âgé d'au moins six mois, soutirez-le (siphonnez-le).

C — Ajoutez alors 60 grammes (2 onces) de sucre par 5 litres (gallon impérial) de vin.

D — Embouteillez dans des bouteilles à champagne, à double paroi et qui résisteront à la pression d'une atmosphère (28 livres). Employez les bouchons de plastique et le fil de fer de sûreté.

E — Laissez les bouteilles debout pendant 12 à 18 mois sans les bouger. La pression montera d'elle-même à une atmosphère (28 livres de pression par pouce cube). Il se formera une sédimentation mais cela est inévitable en ajoutant du sucre. Refroidissez le vin et cela ne posera pas de problème.

TROISIÈME MÉTHODE

Avec cette méthode il n'y aura pas de lie au fond de la bouteille. Votre vin doit être sec et ne pas avoir plus de 11½% d'alcool en volume. Il doit être clarifié et stabilisé.

1 — Dans un peu d'eau, mettez 90 grammes (trois onces) de dextrose pour chaque 5 litres (gallon impérial) de vin fait et mélangez soigneusement.

2 — Ajoutez un sachet de levure (pour 23 litres (5 gallons) de vin) et mettez ½ de cuil. à thé de fortifiant de levure par 5 litres (gallon) de vin.

3 — Coulez le vin dans des bouteilles d'eau gazeuse de 85 ml (28 ou 30 onces) et capsulez comme pour la bière.

4 — Entreposez les bouteilles à 21°C (70°F) debout, tournez à l'envers toutes les 3 semaines et remettez debout.
5 — Après 12 semaines de ce manège, le sucre devrait avoir fabriqué du CO_2 et de l'alcool. S'il y a de la levure dans le fond des bouteilles, vous pouvez être assuré que le vin moussera. Rafraîchissez une bouteille et débouchez-la pour savoir si le vin mousse.
6 — Mettez les bouteilles au congélateur et rafraîchissez à −3°C (26°F). (3 heures).
Lorsque de la glace se forme dans les bouteilles:
7 — Préparez les véritables bouteilles de champagne. Mettez-y 3 cl (une once) de sirop de sucre et une tablette de sorbate de potassium écrasé. Le sorbate de potassium empêche une troisième fermentation et le danger d'explosion.
8 — Mettez ces bouteilles dans le congélateur.
9 — Lorsque vos bouteilles sont assez froides, débouchez les bouteilles d'eau gazeuse et siphonnez dans les bouteilles à champagne froides en laissant la lie au fond des premières bouteilles.
10 — Bouchonnez et attachez avec le fil de fer.
11 — Renversez la bouteille deux ou trois fois pour bien mêler le sirop au vin.

LE XÉRÈS OU SHERRY FLOR

C'est une recette de Sherry qui est en tout point celle du fameux apéritif de JEREZ en Espagne. Le mot Sherry est d'ailleurs une déformation du nom français de cette ville, Xérès. Ce vin, naturellement sucré, est toujours produit à partir de raisins Palomino ou de MUSCATEL.
Les Xérès ne changent jamais de qualité d'une année à l'autre. Pour éviter les mauvaises années vinicoles, on en

garde une certaine quantité en réserve chaque année et lorsque l'année n'est pas bonne on en fait un coupage qui uniformise la qualité. Chaque année on fait des coupages avec les années précédentes et le sherry a toujours le même goût.
Dans toutes les recettes de vin il est recommandé d'éviter de laisser le moût en contact avec l'air pour empêcher de produire du vinaigre ou pour empêcher l'oxydation qui fait surtout changer de couleur les vins blancs.
Pourtant, dans le cas du Sherry, il faut laisser le vin s'oxyder jusqu'à un certain point pour qu'il puisse produire sa couleur et son goût particulier. C'est la pellicule de couverture qu'on appelle aussi CHAPEAU ou encore FLOR qui, en étant exposée à l'air ou à l'oxygène, prolifère.
Environ deux semaines après le début de la fermentation secondaire, la levure remonte à la surface le long des parois de la cuve pour former le chapeau ou le flor. Lorsque ce chapeau devient épais et ridé, le vin s'oxyde lentement et prend sa couleur.

SHERRY FLOR OU XÉRÈS MAISON

2 1/4 litres de concentré de Sherry (Palomino ou Muscatel)
4 1/2 litres de sirop de sucre (2 parties de sucre/1 partie d'eau)
8 1/2 litres d'eau
1 1/2 cuil. à thé de tanin de raisin
2 1/2 cuil. à thé de nourriture de levure
2 cuil. à thé de mélange acide
1 sachet de levure de SHERRY FLOR

Les contenants doivent être parfaitement stérilisés pour que la contamination du moût ne se fasse pas pendant la période d'oxydation. Normalement le Xérès, comme les bons vins, est fait dans des barils de chêne. Toutefois comme nous conseillons de le fabriquer avec du concentré et non avec du raisin frais, le verre et le plastique font très bien l'affaire. Comme le FLOR ou le CHAPEAU prend beaucoup d'espace, il faut que votre cuve de fermentation ait dix-huit à vingt litres de capacité.

PROCESSUS À SUIVRE TRÈS ATTENTIVEMENT

A — Réservez 1 litre de sirop de sucre (le mettre de côté)
B — Mélangez tous les autres ingrédients sauf la levure.
C — Ajustez le moût à une densité EXACTE de 1,115 en ajoutant du sirop que vous avez réservé.

Lorsque cette couleur devient AMBRE clair sous le chapeau ou le flor, on peut dire qu'il se change de sherry ordinaire en un véritable XÉRÈS sec de qualité FINO.
Tous les autres Sherry qui ne sont pas produits sous le CHAPEAU ou le FLOR, ne peuvent porter le nom de XÉRÈS. Ce sont des Sherry. Un des plus fameux Sherry qui n'est pas produit sous le Chapeau ou Flor est l'AMONTILLADO, vin sec de légèreté moyenne.
Un autre de couleur brun foncé, sucré et très fortement alcoolisé s'apelle l'OLOROSO.
Lorsque vous faites un Sherry de XÉRÈS et que le CHAPEAU ou le FLOR ne se forme pas par la levure, vous pouvez toujours boire ce vin en l'appelant OLOROSO.
La recette qui suit vous donne une façon de réussir le SHERRY FLOR ou SHERRY À CHAPEAU, pour que vos amis dégustent un véritable XÉRÈS.

D — Ajoutez la levure et couvrez avec une pièce de coton mince afin de laisser les gaz s'échapper tout en empêchant les saletés et les mouches de gâter votre vin.

E — Quand la fermentation primaire se calme, enlevez le coton de couverture et fixez un couvercle surmonté d'une bonde hydraulique bouchée de coton hydrophile plutôt que de la traditionnelle solution de métabisulfite de sodium.

F — Abaissez la température à 10° ou 15°C (60° à 65°F) et maintenez cette température pendant 5 semaines.

G — À cette période vous devriez constater la formation de petits îlots blancs sur le moût. Humez bien le mélange. Si l'odeur n'est pas vinaigrée vous êtes sur la bonne voie et vous devez alors replacer la bonde hydraulique et laisser la fermentation se poursuivre. Mais si l'odeur tirait vers le vinaigre, il vous faudrait immédiatement filtrer le vin, le sulfiter (à l'aide de tablettes Campden à raison d'une capsule par 4 litres de moût) et bien le boucher pour lui permettre de terminer sa fermentation. Vous auriez alors manqué le XÉRÈS mais vous auriez quand même un Sherry ordinaire. Ne vous inquiétez pas outre mesure car cela n'arrive pas souvent.

H — Si le Chapeau de FLOR se forme, laissez reposer pendant six mois.

I — Soutirez alors et clarifiez-le si nécessaire.

J — Alcoolisez-le en ajoutant 6 cl (deux onces) de Cognac, d'Armagnac ou de Brandy pour chaque bouteille de 750 ml et laissez reposer pendant au moins 12 mois avant de déguster.

K — À l'embouteillage vous pourrez sucrer au goût à l'aide du sirop de sucre. Attention à ne pas embouteiller avant un an car, à l'embouteillage, la fermentation pourrait recommencer par l'addition de sucre et les bouteilles exploseraient.

L — Que le résultat soit un XÉRÈS ou un OLOROSO, le résidu de sucre doit être de 12% de volume de sucre environ.

LE MADÈRE

Le Madère est un excellent vin apéritif et se produit sans trop de difficultés par un producteur moyennement expérimenté. C'est un vin CUIT qui n'obtient son goût particulier que par cette opération de cuisson. Originaire de l'île de Madère, le vin du même nom est mis dans une ESTUFA (chambre de réchauffement) dès qu'il a terminé sa fermentation secondaire. On monte sa température à 49°C (120°F) et même à 50°C (140°F) et on la maintient pendant quatre mois. Ce vin doit ensuite être tempéré à 21°C (70°F).

Les Madères ont des variétés différentes qui vont de sec à très sucré.

> Le SERCIAL est très sec, le VERDELHO est demi-sec, le BUAL est semi-doux et le MALMSEY est épais et très sucré.

On peut conserver ce vin presque indéfiniment. On ne doit changer le bouchon de liège qu'une fois tous les vingt ans. Un groupe de grands connaisseurs de vins de Madère a eu l'occasion de goûter à une bouteille qui datait de 1816, à Montréal en 1966. Cette bouteille avait coûté $1 500 et n'a servi qu'à délecter les quinze membres de ce club de taste-vin. Le vin était d'ailleurs parfaitement conservé. En règle générale on devrait toujours laisser vieillir le Madère pendant 3 ou 4 ans avant de le servir.

ESTUFA

Pour faire le vin de Madère il est important de fabriquer une estufa pour le cuire et lui donner son goût particulier.

a — Vous fabriquez une boîte assez grande pour contenir votre cuve de fermentation. Cette boîte peut être faite de contreplaqué de 7 mm (¼ de pouce) d'épaisseur.

b — Faites un plancher de briques au fond de la caisse (comme fond) afin de diffuser la chaleur et la conserver.

c — Doublez l'intérieur de la boîte de papier d'aluminium afin d'éviter les dangers d'incendie et pour diffuser la chaleur.

d — Vous devrez installer une lampe chauffante, au bout d'un fil électrique, à l'intérieur de la boîte.

e — Un thermomètre doit être placé à l'intérieur de la boîte pour s'assurer que la chaleur est constante.

f — Une couverture couvrira le dessus de la boîte afin de garder la chaleur à l'intérieur.

Vous installez une ampoule de 60 watts. Si la chaleur est trop forte, remplacez la par une 40 watts; si elle ne l'est pas assez, mettez-y une 100 watts. La chaleur devrait être maintenue à 52°C (125°F). Ne mettez jamais de chauffe-eau de métal dans le moût de vin. Il serait aussi dangereux que dans l'eau et vous risqueriez l'électrocution. De plus, le métal oxyde le vin et le gâte complètement à moins qu'il ne soit en acier inoxydable.

RECETTE DE MADÈRE DE PREMIÈRE QUALITÉ

3 litres de concentré de raisins blancs (Palomino ou Muscatel)
3 litres de concentré de figues
750 grammes de bananes séchées
36 litres d'eau chaude
10 tablettes Campden
175 grammes de mélange acide
3 cuil. à thé d'activant de levure

3 cuil. à thé de nourriture de levure
3 litres d'amorce de levure de Madère ou de Sherry en sirop de sucre fait de 2 parties de sucre pour une partie d'eau.

CETTE RECETTE DONNERA ENVIRON 45 LITRES DE MADÈRE.

A) Dans une cuve assez grande (au moins de dix litres plus grande que le contenu) et à large ouverture, mélangez tous les ingrédients, exception faite de la levure et du sirop de sucre.
B) Lorsque le moût est à 20°C (70°F), vous ajoutez du sirop pour ajuster la densité à 1100.
C) Ajoutez la levure et couvrez la cuve à l'aide d'un coton mince.
D) Quand la fermentation s'arrête, siphonnez dans les cuves de fermentation secondaire.
E) Fixez les bondes hydrauliques et remplissez-les de coton hydrophile plutôt qu'avec de l'eau.
F) Sept jours plus tard, faites une lecture d'hydromètre. Lorsque la densité descend à moins de 1000, ajoutez du sirop pour la rajuster à 1010. C'est une opération que vous aurez à répéter plusieurs fois en quelques semaines ou quelques mois.
G) Lorsque la densité demeure la même pendant 20 jours, vous êtes assuré que la fermentation est terminée. Vous aurez alors environ 17% d'alcool en volume.
H) Vous ajustez de nouveau la densité du moût à 1010 en ajoutant du sirop de sucre.
I) Vous placez votre cuve dans la ESTUFA et vous laissez cuire pendant trois et même quatre mois.
J) La chaleur doit être constante. Une chaleur de 52°C (125°F) est absolument nécessaire mais si vous pouvez maintenir 55°C (130°F) c'est préférable.
K) Après la cuisson, clarifiez et embouteillez.

L) Ajoutez 56 ml de cognac, de brandy ou d'armagnac pour chaque bouteille (environ 2 onces).
M) Laissez vieillir au moins 20 mois avant de le servir.

VINS DIVERS

Bananes séchées — Orge — Figues — Prunes — Raisins secs — Pamplemousses — Agrumes — Dattes — Pêches, abricots ou nectarines — Oranges — Café — Bananes fraîches — Sève de bouleau — Eau d'érable — Ananas — Pissenlits — Rhubarbe — Cerises d'automne — Framboises — Pétales de rose — Fraises — Pommes — Mûres — Poires

VIN DE BANANES

250 grammes (½ livre) de bananes séchées
700 grammes (1 ½ livre) de raisins secs
5 ½ litres d'eau chaude (160 on.)
1 ½ kilo de sucre (3.3 livres)
1 tablette Campden écrasée
1 cuil. à thé de nourriture de levure
4 cuil. à thé de mélange d'acides
1 sachet de levure de vin blanc (Chablis)

Ce vin sera sucré.

1 — Coupez les bananes séchées en fins morceaux et écrasez les raisins secs de façon à les couper pour qu'ils puissent dégorger leur sucre dès qu'ils auront trempés.
2 — Mettez dans la cuve de fermentation primaire et ajoutez les autres ingrédients secs, sauf la levure.
3 — Ajoutez l'eau chaude et laissez refroidir le moût. Lorsque le moût est descendu à moins de 27°C (80°F), ajoutez le sachet de levure.
4 — Couvrez la cuve d'une feuille de plastique ou fixez la bonde hydraulique si votre cuve est munie d'un couvercle. Après 7 jours, siphonnez le moût dans la cruche secondaire; fixez la bonde hydraulique.

5 — Après trois semaines, siphonnez de nouveau puis remettez dans la même cruche.
6 — Trois mois plus tard, vous re-siphonnez et embouteillez. Avant de procéder à l'embouteillage, ajoutez une autre tablette Campden écrasée et une tablette d'acide ascorbique. Laissez vieillir 6 mois à un an.

VIN D'ORGE

½ kilo d'orge (barley)
½ kilo de raisins secs
½ kilo (1 livre) de pommes de terre
2 citrons
1 tablette Campden
4 ½ litres d'eau (1 gallon)
1 cuil. à thé de nourriture de levure
1 sachet de levure de vin blanc

Épluchez les pommes de terre et coupez-les en fins morceaux. Écrasez l'orge et le raisin dans un éminceur ou un *blender*. Pour réussir ce mélange il est bon de laisser tremper l'orge pendant 8 heures.

A — Mettez le sucre, l'orge, les pommes de terre et le raisin dans la cuve de fermentation primaire et versez l'eau chaude.
B — Ajoutez le jus des citrons et laissez refroidir à moins de 27°C (80°F).
C — Ajoutez la tablette Campden écrasée, la nourriture de levure et le sachet de levure. Couvrez la cuve avec le plastique ou fixez la bonde hydraulique si la cuve possède un couvercle. Laissez 7 à 10 jours en brassant tous les jours.

VIN DE FIGUES

1 kilo de sucre brun
1 kilo (2 ½ livres) de figues séchées
250 grammes (½ livres) de gros raisins secs
1 citron
1 orange
15 grammes (½ once) de racine de gingembre
4 ½ litres (1 gallon) d'eau bouillante
1 cuil. à thé de nourriture de levure
1 sachet de levure de vin blanc

Coupez les figues et les raisins et mettez dans la cuve de fermentation primaire avec le sucre.

A — Ajoutez le citron et l'orange coupés en fines tranches.
B — Écrasez la racine de gingembre.
C — Arrosez avec l'eau bouillante et mettez la tablette Campden écrasée. Brassez pour dissoudre le sucre.
D — Lorsque le moût a refroidi à moins de 27°C (80°F), ajoutez la levure, couvrez et laissez fermenter 12 jours en brassant tous les jours.
E — Siphonnez (en filtrant) dans une cuve secondaire de fermentation et ajustez la bonde hydraulique.
F — Après deux mois, siphonnez de nouveau et si la fermentation est terminée, ajoutez une tablette d'acide ascorbique (vitamine C) au moût et embouteillez. Ce vin est buvable après six mois, mais meilleur après un an d'entreposage.

VIN DE PRUNES

1 kilo de prunes mûres séchées (pruneaux) (2 lb)
250 grammes (½ lb) de raisins secs

1 ½ kilo (3 ½ lb) de sucre
1 tablette Campden écrasée
4 ½ litres d'eau (1 gallon)
1 cuil. à thé de nourriture de levure
1 sachet de levure de vin
1 sachet d'enzyme pectique.

A — Mettez les pruneaux dans la cuve de fermentation primaire, avec l'eau et l'enzyme pendant dix jours en brassant et écrasant chaque jour.
B — Coulez en écrasant pour en faire sortir le plus de jus possible et remettez dans la cuve. Ajoutez le sucre, coupez les raisins et ajoutez-les, écrasez la tablette Campden et agitez pour dissoudre le tout.
C — Ajoutez la nourriture de levure et la levure et couvrez pour une première fermentation pendant 10 jours. Mais brassez une fois par jour.
D — Coulez de nouveau en siphonnant dans la cuve de fermentation secondaire, fixez la bonde hydraulique et laissez fermenter 2 mois.
E — Siphonnez à nouveau et laissez le vin se clarifier, puis embouteillez.
6 mois à un an de vieillissement pour ce vin de prunes.

VIN DE RAISINS SECS

3 ½ kilos de raisins secs (8 lb)
1 cuil. à soupe d'acide citrique
1 tablette Campden
4 ½ litres d'eau (1 gallon)
1 cuil. à thé de nourriture de levure
1 sachet de levure de vin blanc

Rincez les raisins et broyez-les. Après cela, mettez-les dans la cuve de fermentation primaire avec l'eau froide et une tablette Campden écrasée.

Deux jours plus tard, ajoutez l'acide citrique, la nourriture de levure et la levure et ajustez la bonde hydraulique, mais découvrez chaque jour pour brasser légèrement (1 tour par jour).
Lorsque la fermentation est terminée, coulez le jus pour en éliminer les fruits, ou enlevez-les à l'aide d'une louche perforée.
Mettez dans une cruche propre et laissez reposer trois mois avant d'embouteiller.

VIN DE PAMPLEMOUSSES

6 très gros pamplemousses
1 ½ kilo sucre (3 ½ lb)
4 ½ litres d'eau (1 gallon)
1 cuil. à thé de nourriture de levure
1 sachet de levure de vin blanc

1 — Nettoyez les fruits et coupez la peau en fines lamelles, puis écrasez les pamplemousses. Ajoutez l'eau aux fruits et mettez le sachet de levure et la nourriture de levure. Laissez fermenter pendant 7 jours en agitant deux fois par jour.
2 — Coulez pour en garder le jus et faites dissoudre le sucre; mettez dans la cuve de fermentation secondaire, fixez la bonde hydraulique et laissez fermenter. Dès la fin de la fermentation siphonnez et embouteillez car il n'y aura à peu près pas de résidu dans le moût.
Ce vin est buvable immédiatement.

VIN D'AGRUMES

500 grammes de raisins secs (1 lb.)
3 pamplemousses

3 citrons
3 oranges
1 ½ kilo de sucre (3 ½ lb)
4 ½ litres d'eau
1 cuil. à thé de nourriture de levure

1 — Pelez les fruits en gardant les pelures intactes afin de pouvoir les retirer facilement du moût. Ne laissez pas le blanc sur les pelures.
2 — Coupez les fruits finement et ajoutez-les aux pelures.
3 — Mettez le sucre et l'eau et agitez pour le dissoudre complètement.
4 — Ajoutez la nourriture de levure et la levure et couvrez bien pour garder à une température d'environ 21°C (70°F) pendant 7 jours en brassant chaque jour.
5 — Retirez la pelure du moût, écrasez les fruits pour en garder le jus que vous remettrez dans le moût.
6 — Lorsque la fermentation est terminée, laissez reposer 2 mois et embouteillez en siphonnant.

VIN DE DATTES

1 ½ kilo de dattes (3 lb)
1 kilo de sucre (2.2 lb)
1 cuil. à soupe d'acide citrique
1 cuil. à thé de tanin de raisin
4 ½ litres d'eau (1 gallon)
1 sachet d'enzyme pectique
1 cuil. à thé de nourriture de levure
1 sachet de levure de vin

1 — Coupez les dattes assez finement.
2 — Faites dissoudre le sucre dans l'eau bouillante et versez sur les dattes. Laissez refroidir jusqu'à 21°C (70°F) avant d'ajouter les autres ingrédients.

3 — Laissez fermenter pendant sept jours puis coulez et siphonnez dans les cuves de fermentation secondaire et ajustez la bonde hydraulique. Si la cruche n'est pas pleine, ajoutez de l'eau froide. Pas plus de 60 cl (20 onces).
4 — Lorsque la fermentation est terminée, laissez le vin se clarifier puis embouteillez.
3 mois de vieillissement seraient salutaires à ce mélange.

VIN DE PÊCHES, D'ABRICOTS OU DE NECTARINES

Les quantités sont les mêmes quel que soit le fruit employé.
½ kilo de pêches, abricots ou nectarines (1 lb)
675 grammes de sucre (1 ½ lb)
250 grammes d'extrait de malt (½ lb)
1 cuil. à thé d'acide citrique
½ cuil. à thé de tanin de raisin
4 ½ litres d'eau (1 gallon)
1 cuil. à thé de nourriture de levure
1 sachet de levure de Sauternes
1 sachet d'enzyme pectique

On peut acheter des pêches séchées chez le marchand spécialisé ou employer des pêches fraîches.

1 — Écrasez les fruits déjà tranchés.
2 — Faites bouillir deux litres et quart d'eau et faites-y dissoudre le sucre et l'extrait de malt, puis versez sur les fruits.
3 — Laissez refroidir le moût à 21°C (70°F), ajoutez-y le tanin, l'acide citrique et l'enzyme pectique, puis agitez.

4 — Couvrez bien et laissez au chaud (21°C (70°F).
5 — Le lendemain, agitez le moût et mettez le tout dans la cruche de fermentation.
6 — Mettez-y la nourriture de levure et la levure et ajoutez de l'eau froide pour amener le moût à la hauteur de l'épaule de la cruche.
7 — Ajustez la bonde hydraulique et laissez fermenter 10 jours en agitant chaque jour.
8 — Siphonnez et pressez la pulpe dans la cruche de fermentation.
9 — Après deux mois et lorsque le vin est clair, embouteillez.

VIN D'ORANGES

12 oranges
1 ½ kilo de sucre (3 ½ lb)
4 ½ litres d'eau (1 gallon)
1 cuil. à thé de nourriture de levure
1 sachet de levure de vin blanc

1 — Pelez 6 oranges très soigneusement en éliminant la peau blanche qui donnerait un goût amer au vin.
2 — Faites bouillir ¼ de l'eau et arrosez les pelures que vous laisserez macérer avec les 6 oranges écrasées pendant 24 heures.
3 — Coulez le jus pour en retirer les pelures et la pulpe et ajoutez le reste de l'eau et le sucre préalablement dissout.
4 — Coupez toutes les autres oranges en deux et pressez-en le jus que vous ajouterez au moût.
5 — Ajoutez la levure et la nourriture de levure.
6 — Ajustez la bonde hydraulique et laissez fermenter six jours.

7 — Siphonnez pour éliminer la lie, puis laisser de nouveau fermenter. Laissez clarifier et embouteillez.

VIN DE CAFÉ

15 grammes de café instantané (1 cuil. à soupe)
1 1/4 kilo de sucre (2 1/2 lb)
15 grammes d'acide citrique (1 cuil. à soupe)
4 1/2 litres d'eau (1 gallon)
1 cuil. à thé de phosphate d'ammonium
Levure et nourriture de levure: 1 cuil. à thé et 1 sachet.

1 — Mettez le café, le sucre, l'acide citrique et le phosphate d'ammonium dans un grand bol et couvrez-les de 2 litres d'eau bouillante. Mélangez bien.

Laissez refroidir jusqu'à 24°C (75°F) et mettez dans la cruche de fermentation; remplissez avec de l'eau chaude à 24°C (75°F), ajoutez la levure et la nourriture de levure et ajustez la bonde de fermentation. Après 5 jours, remplissez la cruche jusqu'au bouchon et laissez fermenter jusqu'au bout.
Dès que la fermentation est terminée, vous pouvez embouteiller. Ce vin ne vieillira jamais.
Buvez-le jeune.

VIN DE BANANES FRAÎCHES

2 kilos de bananes pelées (4.4 lb)
250 g de pelures de bananes (1/2 lb)
250 g de raisins secs (1/2 lb)
1 citron
1 orange
1 1/2 kilo de sucre (3.3 lb)

4 ½ litres d'eau (1 gallon)
2 cuil. à thé de nourriture de levure
1 sachet de levure de vin blanc

Employez des bananes très mûres, presque noires.

1 — Mettez les fruits et les pelures dans un coton à fromage bien attaché et mettez dans un large chaudron avec l'eau.
2 — Amenez à ébullition puis laissez mijoter pendant une demi-heure.
3 — Versez sur le sucre le jus des fruits et lorsque le sac de bananes est refroidi, pressez-en le plus de jus possible. Lorsque le tout est tiède, à 21°C (70°F), ajoutez la levure et la nourriture et laissez fermenter pendant 7 jours, en brassant chaque jour. Ne vous inquiétez pas de l'apparence visqueuse du moût; bouchez avec la bonde hydraulique.
4 — Au bout de deux mois, il se formera une épaisse sédimentation au fond de la cruche.
5 — Siphonnez dans une autre cruche et ajoutez-y les raisins émincés.

Replacez la bonde hydraulique et laissez fermenter et reposer pendant 4 mois.

6 — Siphonnez et laissez clarifier pendant 6 mois avant d'embouteiller.

VIN DE SÈVE DE BOULEAU

Il est important de savoir que le bouleau peut produire une sève sucrée et que cette sève peut être transformée en sirop comme la sève de l'érable.
Il est aussi important de savoir que la sève doit être prélevée au printemps, à la même période que l'érable, et qu'il ne faut pas demander à un bouleau de 30 cm (12 pou-

ces) plus de 9 litres de sève (2 gallons). Vous risqueriez de tuer l'arbre si vous omettiez de boucher le trou avec une petite cheville de bois, dès que vous avez obtenu la sève que vous désirez.
Comme pour l'érable, la profondeur du trou ne doit pas être de plus de 5 cm (2 pouces).

INGRÉDIENTS

4 ½ litres de sève de bouleau (1 gallon)
2 citrons
1 orange
500 g de raisins secs (1 lb)
1 ½ kilo de sucre (3 lb)
1 orange amère
3 cuil. à thé de nourriture de levure
1 sachet de levure de vin blanc

MODE D'EMPLOI

1 — Pelez l'orange et les citrons finement en évitant le blanc (zeste) que vous jetterez, et faites-les bouillir dans l'eau de bouleau pendant 20 minutes. Ajoutez assez d'eau pour reconstituer la quantité évaporée.
2 — Ajoutez le sucre et les raisins émincés et brasser jusqu'à ce que tout le sucre soit dissout.
3 — Lorsque le moût est refroidi, ajoutez le jus des fruits, la nourriture de levure et la levure.
4 — Couvrez et gardez dans un endroit chaud jusqu'à ce que la fermentation se soit stabilisée.
5 — Soutirez en passant pour filtrer le moût, ajustez la bonde de fermentation et laissez reposer pendant six mois, puis siphonnez et embouteillez.

6 — Employez des bouteilles de champagne, des bouchons de nylon et du fil de fer pour entreposer le vin de bouleau couché sur le côté pendant six mois.

VIN D'ÉRABLE

Le vin de l'eau d'érable peut être excellent mais il prend autant de temps que le vin de bouleau et a un goût plus prononcé. Il se fabrique toutefois de la même façon.

VIN D'ANANAS

4 ananas
2 kilos de sucre (4 lb)
2 citrons
4 ½ litres d'eau (1 gallon)
2 cuil. à thé de nourriture de levure
1 sachet de levure de vin blanc

1 — Coupez les têtes et les queues d'ananas puis tranchez-les dans une marmite dans ⅓ de l'eau; amenez à ébullition et laissez mijoter pendant 25 minutes.
2 — Dans une cruche de terre cuite, vous mettez le sucre.
3 — Vous coulez le jus des ananas et vous l'ajoutez au sucre pour le faire fondre complètement.
4 — Laissez refroidir le moût jusqu'à moins de 27°C (80°F) et ajoutez le sachet de levure et la nourriture de levure.
5 — Couvrez et laissez fermenter 6 jours en brassant chaque jour puis siphonnez dans une cruche de fermentation secondaire en ajustant la bonde hydraulique. La cruche doit être pleine jusqu'au bord.
6 — Laissez-le terminer sa fermentation puis siphonnez-le.

7 — Laissez-le se clarifier puis re-siphonnez avant d'embouteiller.

VIN DE PISSENLITS

3 litres de fleurs de pissenlits
1 ½ kilo de sucre (3 lb)
2 citrons
1 orange
500 grammes de raisins secs (1 lb) ou encore
280 ml de concentré de raisin blanc (10 oz)
1 cuil. à thé de tanin de raisin
4 ½ litres d'eau (1 gallon)
2 cuil. à thé de nourriture de levure
1 sachet de levure de vin blanc

1 — Les fleurs de pissenlits doivent être fraîchement cueillies.
2 — Mettez dans un bol et videz l'eau bouillante dessus. Laissez macérer deux jours en brassant une fois par jour mais en gardant le bol bien couvert entre-temps.
3 — Le troisième jour, mettez le tout dans une bouilloire, ajoutez le sucre et les zestes des citrons et de l'orange (le zeste seulement, ne pas inclure le blanc de la pelure) et faites bouillir une heure puis remettez dans la cuve de fermentation primaire et ajoutez-y le jus et la pulpe des citrons et de l'orange.
4 — Laissez refroidir à moins de 27°C (80°F) et ajoutez la levure, la nourriture de levure et le tanin de raisin; couvrez. Laissez reposer pendant trois jours.
5 — Mettez dans des cuves de fermentation secondaire et fixez la bonde hydraulique après avoir coulé le moût.
6 — Ajoutez le raisin ou le concentré de raisin.

7 — Laissez fermenter pendant 2 mois et laissez se clarifier avant d'embouteiller.

Ce vin est buvable après 8 mois.

VIN DE RHUBARBE

1 ¼ kilo de rhubarbe (3 lb)
1 ¼ kilo de sucre (3 lb)
4 ½ litres d'eau (1 gallon)
2 cuil. à thé de nourriture de levure
1 sachet de levure de vin

1 — Il ne faut pas mettre trop de rhubarbe car ce fruit contient de l'acide oxalique qui rend le vin désagréable. Il faut donc employer la rhubarbe du printemps et non celle de l'été.
2 — Ne pelez pas la rhubarbe. Coupez-la en fines lamelles. Couvrez de sucre sec et laissez-le fondre 24 ou 28 heures puis passez au tamis. Mélangez la pulpe dans un peu d'eau; tamisez de nouveau, mettez dans la cuve de fermentation primaire et ajoutez de l'eau jusqu'à concurrence d'un gallon.
3 — Ajoutez la levure, la nourriture de levure et laissez fermenter 6 jours.
4 — Siphonnez et ajustez la bonde hydraulique; laissez fermenter.
5 — Lorsque le vin est stabilisé, vous pouvez vous en servir pour couper d'autres vins puisque ce vin de rhubarbe prendra le goût des autres vins.

VIN DE CERISES D'AUTOMNE

2 ¾ kilos de cerises d'automne (noires) (6 lb)
2 kilos de sucre (4 ½ lb)

1 cuil. à thé d'acide citrique
4 1/2 litres d'eau (1 gallon)
2 cuil. à thé de nourriture de levure
1 sachet de levure de vin de Bourgogne
1 tablette Campden

1 — Faites éclater les cerises sans briser les noyaux.
2 — Arrosez avec l'eau bouillante et laissez tremper 48 heures.
3 — Filtrez à travers 3 rangs de coton à fromage.
4 — Amenez le jus au point d'ébullition et ajoutez au sucre. Brassez pour dissoudre le sucre.
5 — Laissez refroidir à moins de 27°C (80°F) et ajoutez l'acide citrique, la nourriture et la levure.
6 — Fermez à l'aide de la bonde hydraulique et laissez fermenter 15 jours.
7 — Siphonnez et remettez dans les cruches de fermentation secondaires.
8 — Lorsque le vin est clarifié, embouteillez. Vous aurez un très bon vin.

VIN DE FRAMBOISES

1 3/4 kilo de framboises (4 lb)
1 1/2 kilo sucre (3 1/2 lb)
4 1/2 litres d'eau (1 gallon)
2 cuil. à thé de nourriture de levure
1 sachet de levure de Bourgogne — plus enzyme pectique

1 — Amenez l'eau à ébullition et arrosez les fruits puis laissez refroidir.
2 — Écrasez les fruits avec les mains et ajoutez l'enzyme pectique. Couvrez et laissez 4 jours en brassant chaque jour.

3 — Coulez à travers une passoire et ajoutez le sucre puis faites-le dissoudre complètement.
4 — Ajoutez la levure et la nourriture de levure et brassez bien à nouveau.
5 — Laissez couvert 24 heures avant de mettre dans les cruches de fermentation secondaire.
6 — Fixez la bonde hydraulique et laissez fermenter.
7 — Lorsque le vin a fini sa fermentation et qu'il est clarifié, ajoutez une tablette Campden écrasée et embouteillez.

VIN DE ROSES (pétales)

½ kilo de pétales de roses (rosa blanda) sauvages (1 lb)
1 ¼ kilo de sucre (2 ½ lb)
2 citrons
4 ½ litres d'eau (1 gallon)
250 ml de concentré de raisin rouge (10 oz)
2 cuil. à thé de nourriture de levure
1 sachet de levure de Bourgogne.

1 — Amenez l'eau à ébullition et mettez-y le sucre et les pétales de roses. Ajoutez le concentré et le jus des citrons, et brassez.
2 — Lorsque la température est tombée à moins de 27°C (80°F), ajoutez la levure et la nourriture. Laissez fermenter six jours bien couvert.
3 — Coulez et mettez dans la cruche de fermentation secondaire surmontée de la bonde hydraulique.
4 — Lorsque la fermentation est terminée, laissez reposer un mois puis embouteillez.

N.B. Les pétales de roses sauvages en floraison peuvent être employées mais le fruit rouge et globuleux qui demeure lorsque la fleur est refermée est l'élément originalement appelé PÉTALE bien que le concept véritable soit différent et qu'il désigne normalement les feuilles qui entourent la corolle florale.

VIN DE FRAISES

2 kilos (4 lb) de fraises
1 ½ kilo (3 lb) de sucre
5 g d'acide citrique (mélange acide): 1 cuil. à thé
½ cuil. à thé de tanin de raisin
4 ½ litres d'eau (1 gallon)
1 cuil. à thé de nourriture de levure
1 sachet de levure de vin de Bourgogne.

A — Équeutez les fraises et lavez-les soigneusement.
B — Écrasez les fruits et ajoutez le sucre et deux litres d'eau.
C — Laissez tremper 48 heures.
D — Coulez le liquide et mettez dans la cuve de fermentation primaire.
E — Mettez un troisième litre d'eau dans la pulpe, mélangez bien et coulez immédiatement pour ajouter au jus dans la cuve primaire.
F — Ajoutez l'acide, le tanin, la nourriture de levure et la levure.
G — Remplissez la cuve jusqu'à un maximum d'un gallon avec de l'eau tiède.
H — Mélangez bien, ajustez la bonde hydraulique et procédez comme pour les autres vins.

VIN DE POMMES (au bouquet de cidre)

10 kilos (24 lb) de pommes tombées bien mûres
1 ½ kilo de sucre (3 lb) pour chaque gallon de jus que vous obtiendrez

4 ½ litres d'eau (1 gallon)
1 sachet de levure de Chablis
1 cuil. à thé de nourriture de levure

1 — Coupez les pommes en petits morceaux
2 — Mettez dans un récipient avec l'eau (l'eau ne couvrira pas les pommes) et laissez 7 jours, bien couvert, dans un endroit chaud avec la levure.
3 — Agitez plusieurs fois par jour afin de faire tremper toutes les pommes.
4 — Égouttez le jus puis pressez les pommes ; mettez dans la cuve de fermentation secondaire.
5 — Ajoutez 1 ½ kilo de sucre pour chaque gallon de jus.
6 — Ajustez la bonde hydraulique.
7 — Laissez fermenter. À la fin de la fermentation, siphonnez tous les quinze jours jusqu'à ce que la clarification soit complète.
8 — Laissez vieillir huit mois à un an.
Ce sera un vin cidré et assez fort en alcool.

VIN DE MÛRES

1 ¾ kilo (4 lb) de mûres bien mûres
1 ½ kilo (3 lb) de sucre
4 ½ kilos d'eau (1 gallon)
1 sachet de levure de Bordeaux
2 cuil. à thé de nourriture de levure et d'enzyme pectique
¼ cuil. à thé de tanin de raisin

1 — Lavez les mûres (et non les murs !)
2 — Écrasez-les dans le récipient de fermentation primaire
3 — Arrosez avec l'eau bouillante et brassez bien.
4 — Laissez tiédir (21°C (70°F)) et ajoutez l'enzyme pectique.

5 — Vingt-quatre heures plus tard, ajoutez la levure et la nourriture de levure ainsi que le tanin de raisin. Couvrez et laissez cinq ou six jours.
6 — Coulez le mélange en soutirant tout le jus.
7 — Ajoutez le sucre granulé et brassez bien.
8 — Ajustez la bonde hydraulique.
Laissez fermenter jusqu'à complète clarification.

VIN DE POIRES

2 1/4 kilo (5 lb) de poires bien mûres mais sans taches
1 1/2 kilo (3 lb) de sucre
2 citrons
4 1/2 litres d'eau (1 gallon)
1 sachet de levure de Chablis
2 cuil. à thé de nourriture de levure

A — Coupez les poires en morceaux; mettez dans un grand chaudron avec l'eau.
B — Amenez lentement à ébullition et laissez mijoter pendant 20 minutes, pas plus.
C — Coulez la liqueur dans la cuve de fermentation primaire et ajoutez-y le sucre et le jus de deux citrons.
D — Lorsque le tout est refroidi à 27°C (80°F), ajoutez-y la levure et la nourriture et ajustez la bonde hydraulique.

Pour faire un vin sec il ne faut pas que la densité de départ du moût soit inférieure à 1080 et supérieure à 1090.

LES REMÈDES AUX PROBLÈMES DE FABRICATION

1 Tablette Campden = .5 g.
2 " " = 1 g
= 1/4 cuillère thé rase.

Le plus courant des problèmes de fabrication du vin domestique consiste à faire repartir un vin qui a cessé de fermenter.

FERMENTATION QUI S'ARRÊTE

Lorsque les bulles d'air cessent de monter à travers la bonde hydraulique avant que la densité du moût ne soit descendue à 1000, c'est que la fermentation s'est arrêtée avant que la levure n'ait transformé tout le sucre en alcool.

LES CAUSES

1 — La levure manque de force à cause d'une température trop basse du moût.
2 — La levure manque de force parce que le moût est monté trop haut pendant la fermentation primaire.

(La levure ne doit jamais être mise dans le moût à une température plus haute que 27°C (80°F) ou inférieure à 16°C (60°F) ; dans les deux cas la fermentation peut s'arrêter prématurément.)
Il faut alors réchauffer le moût, s'il est trop froid (entre 21 et 24°C (70 et 75°F)) ou le refroidir s'il est trop chaud.
Il est important de faire repartir la fermentation en préparant une amorce de levure à l'aide d'un sachet de la même levure et d'une vingtaine d'onces du moût. En s'assurant que le moût est à la bonne température, l'amorce, dès qu'elle sera prête, fera repartir la fermentation.
Il est aussi possible que votre moût, si la température n'est pas la cause de l'arrêt de fermentation, soit victime d'une faiblesse de la levure. Chez votre marchand, il se vend une substance qu'on appelle « activant de levure » ou *energiser*. Une cuillerée à thé par 20 litres 5 gallons de moût suffira alors à redonner vie à votre vin.

TROP DE SUCRE

Ce même problème peut se produire si la densité du moût dépasse 1100. Trop de sucre ou trop d'alcool affaiblit la levure et annule son effet.

Solution

Pour 20 litres (5 gallons) de moût, ajoutez 3 litres d'eau et 30 grammes (une once) de mélange acide.

MAUVAISE SAVEUR PENDANT LA FERMENTATION

La levure se nourrit de la lie de votre moût lorsque vous laissez celui-ci trop longtemps sans le siphonner. Siphonnez régulièrement. Une bonne pratique est d'une fois tous les 15 jours.

MYCODERMES

Un micro-organisme ressemblant à la levure se forme à la surface de votre vin. Il commence par construire de petits îlots et les agrandit lentement jusqu'à ce qu'il ait recouvert toute la surface. Il se produit alors une oxydation de l'alcool et la formation d'eau, d'acide acétique et de CO_2. Lorsque les mycodermes recouvrent toute la surface, votre vin n'est plus bon. Son goût est altéré et il ne changera plus.

Solution

Dès que vous vous rendez compte de ce problème, suivez cette méthode:

A — Passez le vin au travers d'un filtre à vin ou à lait pour éliminer les particules des mycodermes, ou filtrez à l'aide d'un appareil filtreur à vin en utilisant des filtres de papier mâché. ATTENTION: ne jamais utiliser des filtres d'amiante: ils sont nuisibles à la santé.

B — Ajoutez deux tablettes Campden pour chaque gallon de moût.
C — Embouteillez et bouchez au liège.
D — Stérilisez complètement la cuve de fermentation.

N.B. Ce problème ne peut exister si votre cruche est fermée à l'aide d'une bonde hydraulique. Ces mycodermes ont besoin d'air pour se développer.

ODEUR DE VINAIGRE (OU GOÛT DE VINAIGRE)

L'acide acétique (vinaigre) ne peut se développer qu'avec l'aide de l'air. La levure de vinaigre flotte dans l'air et si votre vin n'est pas protégé par une bonde hydraulique, vous risquez de fabriquer du vinaigre au lieu de vin.

Solution

Aucune: Jetez le vin ou embouteillez le vinaigre!

ODEUR D'OEUFS POURRIS

Ce problème n'arrive que lorsque vous faites du vin à l'aide de raisins frais et surtout importés de Californie. Cette odeur est produite par des raisins faibles en acides et trop mûrs. Les arrosages fréquents des vignobles à l'aide de sulfates de cuivre, pour lutter contre le mildiou, causent aussi cette odeur de soufre produite par l'acide sulfhydrique.

Solution

Soutirez (siphonnez) le vin en l'agitant pour en faire sortir les mauvaises odeurs et ajoutez une tablette Campden par

5 litres (gallon). C'est la seule fois où il vous est permis de bousculer votre vin.
Si toute l'odeur désagréable n'est pas éliminée par ce soutirage, répétez tous les deux mois pendant un an.
Si ces opérations ne produisent pas les résultats escomptés, vous devrez cuire votre vin comme le Madère. Cette opération est garantie.

ODEUR DE MUSC (moisi)

Un bouchon poreux produira souvent des moisissures et donne ce goût et cette odeur à votre vin.

Solution

Enlevez les bouchons, essuyez le goulot avec un linge trempé dans une solution de tablettes Campden et rebouchez avec un bon bouchon.

GOÛT DE LEVURE

Vous avez utilisé une levure impropre à la fabrication du vin, de la levure de pain ou autre, ou vous n'avez pas laissé le vin se clarifier avant de l'embouteiller, ou encore vous avez voulu le boire trop jeune.

Solution

Aucune

Prévention

Laissez vieillir le vin avant de le boire.

OXYDATION

Les vins cuits ont un goût oxydé mais ce goût est inacceptable pour un vin sec. L'oxydation se constate par la couleur brunâtre du vin et par un arrière-goût amer.

Solution

Aucune

Prévention

Assurez-vous que l'équilibre sucre-acide existe dans votre moût. Fermentez entre 12 et 27°C (60 et 80°F).
Gardez la bonde hydraulique sur votre cuve de fermentation.

EXPLOSION DE BOUTEILLES

A — Vous avez embouteillé le vin avant la fin de la fermentation secondaire.

Solution

Remettez le vin dans la cruche de fermentation et laissez jusqu'à ce que l'hydromètre se soit maintenu au même niveau (à 1000 et moins) pendant un mois.
Puis embouteillez de nouveau.

B — Si votre vin est un vin sucré, il n'est pas stabilisé.

Solution

Ouvrez les bouteilles et ajoutez à chacune une demi-tablette de sorbate de potassium puis rebouchez.

C — Dans le cas du vin mousseux.
Mauvais type de bouteille. Trop mince.

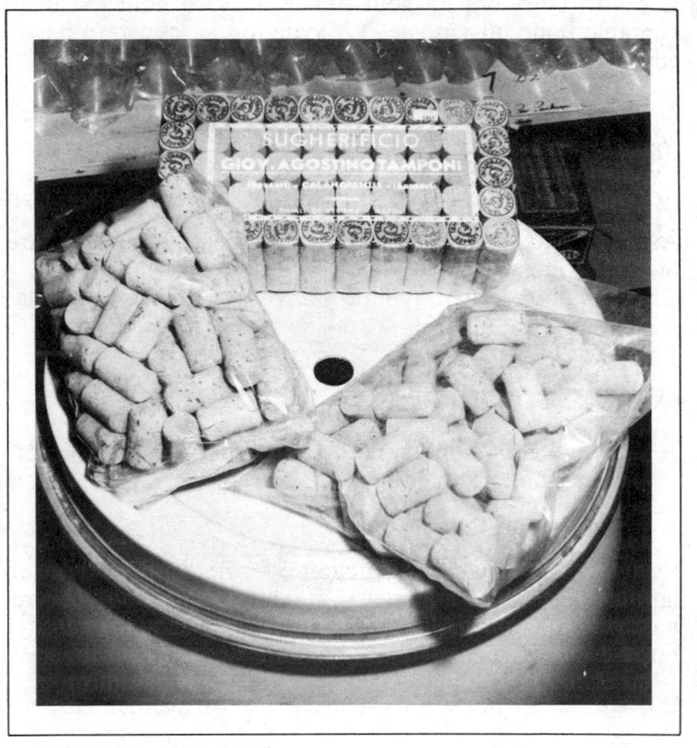

PHOTO 30 ***Les bouchons***

Bouchons de liège de bonne qualité. Dans les sacs, en vrac, par 3 douzaines le paquet : bouchons cirés et garantis ; ils valent trois fois le prix des autres mais ne se vendent que par paquets de 100 unités. Il ne faut pas lésiner sur la qualité.

PHOTO 31 ***Mâche-bouchons ou bouchonneuse***

Un mâche-bouchons manuel et peu dispendieux. Travaille assez bien mais nécessite une certaine force.

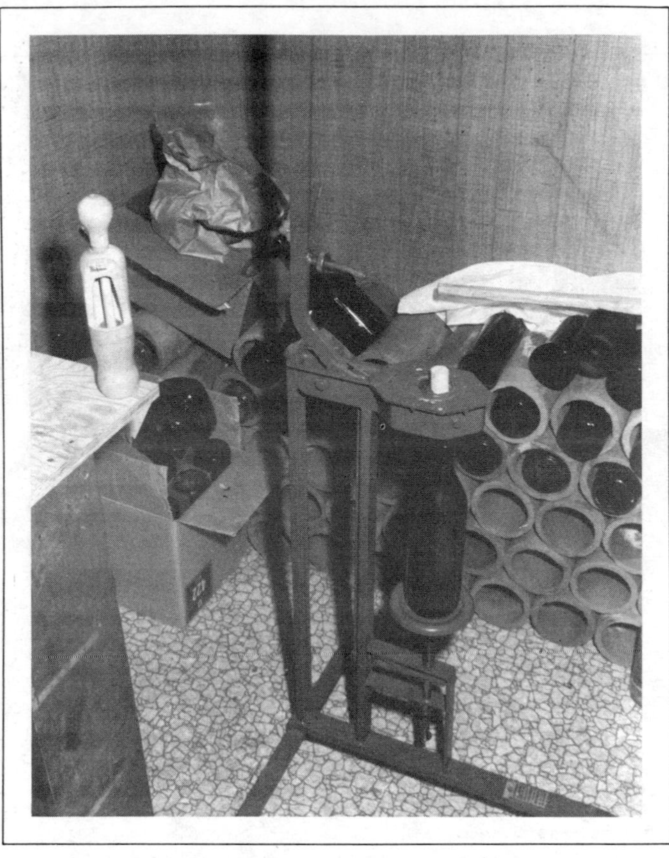

PHOTO 32 *Les mâche-bouchons ou bouchonneuses*

À gauche, le moins cher et le moins bon des mâche-bouchons. Ne vaut pas la peine d'être acheté.
À droite, le meilleur appareil. À long manche, il ne nécessite qu'un peu d'effort et la bouteille est bouchée correctement.

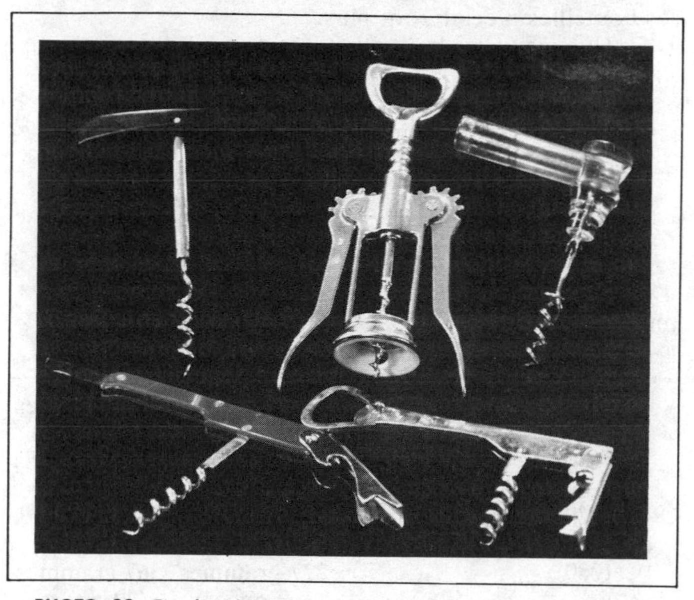

PHOTO 33 ***Tire-bouchons***

Les tire-bouchons sont une question de goût. Les femmes choisissent ceux qui ont un double levier, mais les sommeliers préféreront celui qui a un petit canif à un bout. Les voyageurs adopteront celui qui est en même temps un décapsuleur. Les gens peu compliqués achèteront le plus simple de tous et celui qui est à l'affût des nouveautés essaiera le tire-bouchon double.

Solution

Débouchez les bouteilles, laissez le gaz carbonique s'échapper et rebouchez. Votre vin ne sera plus mousseux mais les bouteilles n'éclateront plus.

D — Une mauvaise bouteille (défectueuse) dans un groupe de bouteilles.

AJUSTEMENT DU MOÛT

Densité du jus une augmentation	Sucre à ajouter pour volume d'alcool		
	de 10%	de 14%	de 18%
1050	312 grammes (11 onces)	567 grammes (20 onces)	907 grammes (32 onces)
1060	200 grammes (7 onces)	425 grammes (15 onces)	765 grammes (27 onces)
1070	85 grammes (3 onces)	312 grammes (11 onces)	652 grammes (23 onces)
1080	.....	227 grammes (8 onces)	567 grammes (20 onces)
1090	.....	113 grammes (4 onces)	455 grammes (16 onces)
1100	.....	.....	340 grammes (12 onces)
1110	.....	.....	227 grammes (8 onces)
1120	.....	.....	113 grammes (4 onces)
1130	.....	.....	.....

POTENTIEL D'ALCOOL

Hydromètre S.G.

Lecture de densité	potentiel d'alcool	quantité de sucre déjà dans le moût pour chaque gallon	
		grammes	lb — oz
1010	0.9%	57	2
1020	2.3%	200	7
1030	3.7%	340	12
1040	5.1%	482	1 — 1
1050	6.5%	595	1 — 5
1060	7.8%	709	1 — 9
1070	9.2%	822	1 — 13
1080	10.6%	936	2 — 1
1090	12.0%	1077	2 — 6
1100	13.4%	1191	2 — 10
1110	14.9%	1304	2 — 14
1120	16.3%	1417	3 — 2
1130	17.7%	1531	3 — 6

SI VOUS AJOUTEZ DU SUCRE, LE VOLUME AUGMENTERA

Sucre ajouté		*Augmentation de volume*
Grammes	*Lb — Oz*	*Onces*
71	2½	1
142	5	3
227	8	5
283	10	7
369	13	8
454	1 — 0	10

510	1 — 2	11
567	1 — 4	13
652	1 — 7	14
709	1 — 9	16
765	1 — 11	17
850	1 — 14	19
936	2 — 1	20
1021	2 — 4	22
1077	2 — 6	23
1162	2 — 9	25
1247	2 — 12	27
1332	2 — 15	28
1417	3 — 2	30
1503	3 — 5	32
1588	3 — 8	33
1673	3 — 11	35
1758	3 — 14	37
1843	4 — 1	38
1928	4 — 4	40
2013	4 — 7	42

AIDE-MÉMOIRE

À FAIRE

1 — Toujours garder son équipement d'une propreté éclatante.

2 — Toujours garder votre cruche de fermentation primaire bien couverte.

3 — Toujours bien fixer les bondes hydrauliques sur les cruches de fermentation secondaire.

4 — Toujours éviter le contact de votre vin avec l'air.

5 — Toujours garder les cruches et les bouteilles pleines à 20 mm (¾ de pouce) du bouchon.

6 — Toujours bien séparer le jus du moût pour la fermentation secondaire de façon complète.

7 — Toujours faire du vin TROP SEC plutôt que TROP SUCRÉ. Le vin est plus facile à sucrer par la suite.

8 — Toujours employer de la nourriture de levure et de la levure appropriée à la sorte de vin que vous fabriquez.

9 — Toujours ajouter le sucre par stades et tenir les fiches de fabrication à jour.

10 — Toujours siphonner deux et même trois fois le vin.

11 — Toujours goûter le vin à intervalles réguliers.

12 — Toujours employer des bouchons neufs et stérilisés.

13 — Toujours employer des bouteilles foncées pour le vin rouge, afin qu'il conserve sa couleur.

À NE PAS FAIRE

1 — Ne jamais vendre ou distiller votre vin.

2 — Ne jamais laisser la mouche du vinaigre contaminer votre vin.

3 — Ne jamais employer de récipients de métal pour votre vin.

4 — Ne jamais employer d'outils ou de contenants fabriqués de bois de résineux.

5 — Ne jamais oublier de brasser le moût de raisins frais ou de fruits frais deux fois par jour.

6 — Ne jamais employer trop de sucre à la fois, ou tout le sucre prescrit par la recette, si la densité peut monter au-dessus de 1090.

7 — Ne jamais tenter d'accélérer le processus de fermentation par une augmentation de température.
8 — Ne jamais manquer de patience. La fabrication du vin est un processus lent.
9 — Ne jamais laisser votre vin reposer sur la lie. Toujours bien siphonner.
10 — Ne jamais filtrer le vin pour le clarifier trop vite. La clarification est lente mais se fait presque invariablement.
11 — Ne jamais mettre votre vin dans des bouteilles non stérilisées.
12 — Ne jamais embouteiller avant la fin de la fermentation.
13 — Ne jamais boire avec excès. Vous ne goûteriez plus votre vin et ce serait dommage.

TABLEAU DE CORRECTION DE L'HYDROMÈTRE

L'hydromètre fonctionne généralement mieux à une certaine température et cette température est généralement de 15°C (59°F).
Si la température du moût est différente, vous devez faire un ajustement.

Température du moût	*Ajustement à faire*
10°C (50°F)	soustrayez 0.6
15°C (59°F)	aucun
20°C (68°F)	additionnez 0.9
25°C (77°F)	additionnez 2.0
30°C (86°F)	additionnez 3.4
35° (95°F) (votre moût est trop chaud)	additionnez 5.0
40°C (104°F)	additionnez 6.8

LA CAVE À VIN

Puisque vous faites du vin et que votre intérêt vous amène à diversifier votre production, une cave devient importante pour la conservation de votre produit.

J'ai la chance d'avoir une pièce réservée à la fabrication de mon vin. Une pièce de 2 ½ × 3 m (8′ × 10′) me permet de fabriquer 200 litres (cinquante gallons) de vin dans dix cruches différentes et d'entreposer plus de six cents bouteilles à la fois.

Des tuiles de terre cuite dans les encoignures des placards et pour couvrir tout un mur, et une armoire de confection artisanale pouvant contenir trois cent cinquante bouteilles complètent la pièce des vins. Bien sûr, la « bouchonneuse » et les cuves de fermentation primaire sont aussi entreposées dans cette pièce.

Les quelques photos qui suivent illustrent les possibilités de disposition d'une cave à vin.

PHOTO 34 ***Les supports à bouteilles***

Trois supports à bouteilles à placer dans la salle a dîner.

PHOTO 35 ***Support à étagères***

Un support qui peut être placé sur un buffet ou sur le sol, selon le nombre d'étages désirés. Peut servir à l'entreposage des bouteilles dans la cave à vin. Le coût d'achat correspond à peu près au coût d'une bouteille fabriquée pour chaque place d'entreposage.
Fait de plastique solide et indestructible.

PHOTO 36 ***Entreposage dans la cave***

Dans une encoignure, une armoire ou d'un mur à l'autre, les tuiles de terre cuite sont excellentes et gardent le vin frais. Vous entreposez le vin blanc dans le bas et le rouge vers le haut.

PHOTO 37 ***Armoire de rangement***

Une armoire facile à faire et très peu dispendieuse.
hauteur: 6′ 6″ (2 mètres)
largeur: 5′ (155 cm)
profondeur: 10′ (25 cm)
capacité: 324 bouteilles
compartiments: 8, plus la tablette supérieure pour le mousseux ou les gallons.

LA BIÈRE

Pour faire sa bière à la maison, c'est encore plus facile que pour le vin et la période d'attente est beaucoup moins longue puisque le résultat de cette fermentation pourra être bu à peine quinze jours après l'arrêt de travail de la levure. IL FAUT TOUTEFOIS QUE VOUS SUIVIEZ LES INSTRUCTIONS À LA LETTRE SANS TENTER D'Y CHANGER QUOI QUE CE SOIT.
Je ne m'étendrai pas sur les principes de fermentation puisqu'ils sont les mêmes pour toutes les liqueurs à faible teneur en alcool et où la distillation n'est pas nécessaire. Une bière idéale, au goût semblable à celles qui se vendent sur le marché, ne possède pas plus de 5% de volume d'alcool, et c'est le genre de bière que nous recommandons ici.
Chez votre marchand, il vous sera possible de choisir la sorte de bière que vous préférez comme si vous étiez chez votre épicier. J'ai dis la sorte et non la marque. En effet, vous pourrez choisir entre la bière ordinaire avec du houblon, sans houblon, de type Lager ou encore une bière brune. Vous pourrez la choisir légère, lourde et vous pourrez la faire sèche ou sucrée, plate ou effervescente.

LES USTENSILES NÉCESSAIRES À LA FERMENTATION DE LA BIÈRE

Tous les ustensiles qui vous servent à la fabrication de votre vin maison peuvent aussi servir à la fermentation de la bière, exception faite du mâche-bouchons (bouchonneuse à bouchons de liège) que vous devrez remplacer par une capsuleuse. Cet appareil est d'ailleurs très peu coûteux.

Si vous avez un grand contenant de plastique comme cuve de fermentation primaire de votre vin, il vous servira également pour la fermentation de votre bière à la condition de bien le laver et de le stériliser. Vous n'aurez besoin que d'un contenant secondaire pour recevoir le moût pendant que vous siphonnerez le liquide afin de nettoyer la cuve de fermentation et d'en enlever la lie.
L'hydromètre S.G. *(Specific Gravity)* est le même que pour le vin et il indique même, par une ligne rouge, le moment propice à l'embouteillage. Il vous faudra cependant des bouteilles de bière et des capsules appropriées.

N.B.

Le tableau de potentiel d'alcool selon la densité de sucre contenu dans le moût de bière est le même que pour le vin. Si vous désirez une bière plus forte, il vous faudra augmenter la quantité de sucre pour atteindre la densité désirée. Consultez donc le tableau de POTENTIEL D'ALCOOL pour savoir combien vous devez ajouter de sucre.

RECETTE DE BIÈRE

Les 8 étapes essentielles à la fabrication réussie de la bière
Selon les conseils de Dominic De Falco

1 — Nettoyez et stérilisez tous les ustensiles, cruches, etc. Tout doit être d'une propreté parfaite.

2 — Préparez le moût en faisant dissoudre 2 kilos de sucre de maïs (ou de sucre de canne) dans 4 litres d'eau chaude, dans un récipient parfaitement stérilisé.

3 — Mélangez-y une boîte de 1 kilo (2 lb et 3 onces) d'EXTRAIT DE MALT de marque JOHN BULL

(avec ou sans houblon, selon votre goût) et comblez le récipient jusqu'à 18 litres d'eau (environ 4 gallons). Prenez une lecture d'hydromètre S.G. La densité devrait être de 1040 ou 1042. Si elle est plus élevée, ajoutez de l'eau, un peu à la fois. Si elle est plus basse, ajoutez un peu de sucre pour en arriver à cette gravité spécifique.

4 — Ajoutez une cuillerée à thé de nourriture de levure et un sachet de levure de bière.

5 — Faites des lectures fréquentes d'hydromètre (chaque jour).

6 — Lorsque la densité est dencendue à 1010, soutirez le moût par siphonnage en prenant bien soin de laisser la lie au fond. Nettoyez la cuve de fermentation et versez-y de nouveau le moût de bière.

7 — Vingt-quatre ou quarante-huit heures plus tard, la densité devrait être descendue à 1004 ou 1005. C'est alors le moment de mettre en bouteilles, en ajoutant ½ cuil. à thé de sucre dans chaque bouteille d'une chopine (environ 500 ml) ; fixez ensuite les capsules.

8 — Laissez reposer deux semaines. Avant de boire la bière, il est préférable de la laisser refroidir deux ou trois heures. Le refroidissement aide à faire précipiter la lie au fond de la bouteille. Lorsque vous versez, faites-le lentement afin d'éviter de verser aussi la lie. Le dépôt de lie est produit par l'addition du sucre qui provoque l'effervescence.

N.B.

SI VOUS EMBOUTEILLEZ LA BIÈRE AVANT QU'ELLE NE SOIT DESCENDUE À 1008 (à la lecture de l'hydromètre) VOS BOUTEILLES ÉCLATERONT. Buvez avec sagesse pour en profiter plus longtemps.

LES VINS DE FRANCE

DE LA RÉGION DE BORDEAUX

Les Médocs, Graves, Sauternes, Barsacs, Bommes, Preignacs, Fargues, Saint-Émilions, Pomerols, Fronsadais, Entre-deux-Mers, Bourgeais de Blayais, Cérons, Bazadais, Néac et Lalande de Pomerol, Cubzagais et finalement les Cantons de Guitres et Coutras.

DE LA BOURGOGNE ET DU BEAUJOLAIS

Les Chablis, Gevrey-Chambertins, Brochons, Morey-Saint-Denis, Chambolle-Musignys, Flagey-Echézeaux, Vosne-Romanées, Vaugeots, Nuits-Saint-Georges, Prémeaux, Côtes-de-Beaunes, Savigny-les-Beaunes, Hospices-de-Beaunes, Pommards, Volnoyx, Auxey-Duresses, Monthelies, Meurseaults, Pulignys et Chassagnes, et finalement du Beaujolais, du Maconnais et du Chalonnais, les trois vins de la même appellation contrôlée.

DES CÔTES DU RHÔNE

Les Côtes Roties, Condrieux, Hermitages, Saint-Peray, Chateauneuf du Pape et Tavel.

DE LA LOIRE

De la Haute-Loire, les Nièvres, Cher, Indre et Loire, Chinon et Bourgueil, de l'Anjou, les Saumurs et Côteaux du Layon. De la Basse-Loire, le Muscadet et les Côteaux de la Loire.

DE L'ALSACE

Les Sylvaners, Muscats, Pinots, Rieslings, Traminers et Gewurztraminers.

DE L'ARBOIS

Les Poulsards, Trousseaux, Chardonnays, Savagnins et Étoiles.

DE LA PROVENCE

Les Calanques, Cassis, Gaudes, Saint-Tropez, La Croix-de-Calvaire, Cagnes, Bandols, Bellets.

DU LANGUEDOC ET DU ROUSSILLON

Les Côtes-d'Agly, Côtes du Haut-Roussillon, Gaillacs et Limoux.

DU JURA

Petits Manseng, Gros Manseng et Courbus et finalement les vins de la région de Montbazillac et Montravel qui portent les mêmes noms que leurs régions d'origine.

LES VINS D'ITALIE

Puisque l'Italie est le plus gros producteur de vins fins et de vins corsés et clarets au monde, nous ne pouvons passer sous silence les vins nombreux et délicieux de ce pays. Contrairement à certaines croyances nord-américaines, les vins italiens ne se boivent pas qu'avec les pâtes puisqu'en Italie les pâtes ne se servent généralement qu'avec les premiers services d'un repas. Il y a de très grands vins en Italie et les Lambrusco, Corvo et autres ne sont pas à dédaigner.
Les régions du Piémont et de la vallée d'Aoste sont les plus prolifiques des régions pour le nombre de vins produits, mais la Sicile est renommée pour ses vins de corps et de caractère.
Commençons donc avec le haut de la botte italienne pour descendre vers la pointe du pied et finalement le ballon, l'île de Sardaigne.

DES RÉGIONS DU PIÉMONT, DE LIGURIE ET DE LA VALLÉE D'AOSTE

Aymaville, Barbaresco, Barbarosa, Barbarosa-Ligura, Barbera, Barolo, Bianco dei Roeri, Boca, Bonarda d'Asti, Bonarda-Novarese, Brachetto d'Acqui, Caluso-Passito, Carema, Castel d'Andrino, Cinqueterre, Cinqueterre Sciacchetra, Dolcetto, Donnaz, Drago, Enfer d'Arvier, Fara, Fleisa, Gattinara, Ghemme, Grignolio, Lessona, Mesolone, Nebbiolo, Portofino, Rossese di Dolceacqua, Spanna, Vecquia-Collina et Vermentino.

DE LOMBARDIE

Barbacarlo, Bonarda dell' oltrepo'Pavese, Botticino, Buttafuoco, Castel Chiuro, Cortese, Frecciarosa, Grumello, Inferno, Lugana, Lambrusco Mantiovano, Oltrepo'Pavese, Paradiso, Riesling dell' Oltrepo Pavese, Sassella, Volgella, Valtellina, Valtellina Superiore.

DE VENETO

Amarone, Bardolino, Bianco di Custoza, Cabernet Breganze, Cabernet Del Piave, Cabernet di Pramaggiore, Dindarella, Prosecco di Conegliano, Raboso del Piave, Recioto della Valpolicella, Riesling Veneto, Soave, Valpantena, Valpolicella, Venegazzo, Vin Santo.

DE TRENTINO-ALTO ADIGE

Blauburgunder, Cabernet del Trentino, Grauvernatsch, Kuchelberger, Kurtatscher Leiten, Quatro Vicariati, Riesling del Trentino, Riesling Renano, Terlano, Traminer, Vin Santo del Trentino.

DE FRIULI ET DE VENETIA JULIA

Cabernet del Collio Goriziano, Cabernet del Friuli, Malvasia del Collio Goriziano, Merlot, Picolit, Pinot, Refusco, Ribulla, Riesling del Friuli, Sauvignon, Tocai, Verduzzo.

D'EMILIA-ROMAGNA

Albana, Aléatico, Bianco dell' Abrazia, Bonarda dei Colli Piacentini, Cabernet Sauvignon, Castello dei Volpi, Gutturnio dei Colli Piacentini, Lambrusco di Castelvetro, Lambrusco di Parma, Lambrusco Reggiano, Lambrusco di Sorbara, Sangiovese, Sauvignon, Trebbiano di Romagna et Vin Santo.

DE TOSCANE

Aleatko, Bianco Pisano di San Torpe', Bianco Vergine Valdichiana, Brunello di Montalcino, Chianti, Moscatello, Nipozzano, Rosato di Rigutino, Rosso Colli Aretini, Tegolato, Vernaccia di San Geminiano, Vino Nobile di Montepulciano, Vin Santo.

DE MARCHES

Bianchello del Metauro, Bianco dei Colli Maceratesi, Bianco Falerio, Rosso del Conero, Rosso Piceno, Sangiovese, Verdicchio.

D'UMBRIA

Bianco dei Colli Perugini, Colli del Trasimeno, Orvieto, Rubesco, Sacrantino, Scacciadiavoli, Tiferno, Torgiano, Trebbiano Spoleitino, Vin Santo dell' Umbria.

DE LATIUM

Aleatico, Cannellino, Castel San Giorgio, Castelli Romani, Cesanese, Colli Albani, Colli Etruschi, Est-Est-Est-, Frascati, Malvasia Bianca Puntinata, Sangiovese, Trebbiano di Aprilia.

D'ABRUZZO-MOLISE et BASILICATA

Agianico, Cerasulo, Malvasia del Volture, Montepulciano d'Abruzzo, et Trebbiano d'Abruzzo.

DE CAMPANIA

Aglianico, Aglianchello, Capri, Falerno, Epomeo, Ischia, Lacryma Christi, Pannarano, Ravello, et Taurasi.

D'APULIA ET DE LA CALABRE

Aleatico, Bianco elizia, Castel de Monte, Ciro'lla, Malvasia Tarantina, Moscato, Négramaro, Negrino, Ottavianello, Rosata del Salento, Rosso Barletta, Sangiovese.

DE LA SARDAIGNE ET DE LA SICILE

Anghellu Ruju, Cannonau, Corvo, Etna, Damaschino, Giro'di Cagliari, Malvasia delle Lipari, Malvasia, Marsala, Moscato, Nieppera, Nuraghe Majore, Rosato di Dorgali, Rosso Giogantinu, Sangiovese, Trebbiano, Vermentino, Vernaccia di Oristano.

LEXIQUE DU FABRICANT DE VIN MAISON

ACIDES OU MÉLANGE ACIDE

Les acides du vin sont « malique », « tartrique », « citrique », « tannique » et « phosphorique ».
Le mélange acide réunit tous ces acides et lorsque vous les ajoutez aux concentrés de jus de raisin, ils équilibrent le taux de sucre contenu dans le moût ou ajouté. On les appelle aussi acides fixes.
Pendant la fermentation d'un vin, il se forme des acides volatils appelés propionique et acétique.
Lorsqu'on parle d'acide citrique ou tartrique, on exprime l'ensemble des acides contenus dans un vin ou dans un moût.

ACTIVANT DE LEVURE

C'est une amorce qui, ajoutée à la levure, l'active et lui redonne vie. Elle contient généralement des phosphates et de la vitamine B.

ALCOOL

L'alcool éthylique dont la formule est C_2H_5OH, est l'élément de préservation du vin. Il enivre mais si agréablement que c'en est un plaisir. C'est le sucre qui, sous l'effet de la fermentation, est transformé en alcool.
Si l'alcool éthylique est bénéfique dans le vin, il n'en est pas de même de l'alcool méthylique, de l'alcool amylique et de l'huile de fusel.
Ces trois substances sont toxiques; elles se retrouvent parfois dans le vin, mais en quantités inoffensives, si on

tente pas de le distiller pour en faire un alcool liquoreux ou un cognac maison.
Le manque de connaissance des mesures de contrôle de ces alcools toxiques peut être extrêmement dangereux. Il ne faut donc jamais tenter de distillation domestique.

ALCOOLISATION

C'est l'addition d'alcool au vin pour le rendre plus fort en alcool.

ALCOOMÈTRE

Instrument servant à mesurer le taux d'alcool dans les vins et liqueurs. Il varie de 1% dans le cas des vins secs mais n'est plus précis dans le cas des vins doux et sucrés.

ANHYDRIDE CARBONIQUE

C'est un gaz qui se forme dans le moût en fermentation et qui se libère au travers des bondes hydrauliques, en conservant le taux d'alcool transformé.
Le CO_2 une fois libéré équivaut à environ cinquante pour cent du poids du sucre contenu dans le moût.
L'anhydride sulfureux est aussi un gaz mais il est le produit des tablettes Campden et du métabisulfite de sodium. C'est un désinfectant, un stérilisant et un désoxydant sans goût ni saveur; il n'est pas toxique, s'il est employé selon les directives prescrites.

APÉRITIF

Vin doux et sucré que l'on boit avant un repas. Ce vin est généralement additionné d'alcool.
Le Dubonnet, le Saint-Raphaël, les Sherry et le Xérès sont des vins apéritifs.

AUTOLYSE

Lorsque vous laissez trop longtemps les sédiments (lie) au fond des cruches pendant la fermentation active de la levure, il se produit une destruction de ces sédiments. Cela s'appelle une autolyse et cela donne un mauvais goût au vin.

BONDE HYDRAULIQUE

C'est une vanne ou une trappe à basse pression qui permet de laisser s'échapper les gaz d'une cuve de fermentation sans toutefois laisser pénétrer l'air et les bactéries.

CAPSULEUR

Appareil servant à fixer les capsules sur les bouteilles de bière et de boissons gazeuses.

CAPSULE

Couverture d'aluminium, de plomb ou de plastique que l'on met par dessus les bouchons des bouteilles de vin pour en augmenter l'étanchéité et les préserver des poussières et des saletés.

CÉPAGE

De cep: pied de vigne: base de la culture du raisin — cépage; sorte de raisin destiné à la fabrication du vin; généralement du type « vitis » et cultivé en Europe, en Californie et dans la vallée du Niagara.

CHAPEAU

Couche de pulpe des fruits qui flotte dans le moût pendant la fermentation primaire et que l'on doit briser régulièrement pour en tirer le maximum d'éléments à faire se transformer le moût en vin.

CIDRE ET CIDRÉ

Jus de pomme fermenté et contenant très peu d'alcool (entre 6 et 8%).
Cidré: qui a le goût du cidre.

CLARIFIANT OU COLLAGE

Substance qui, ajoutée au vin après la fermentation, précipite les particules en suspension vers le fond de la cruche, donnant au vin sa limpidité naturelle.
La gélatine, la colle de poisson et le blanc d'œuf battu sont des clarifiants naturels. Cette opération ne s'accomplit que dans les cas où le vin ne se clarifie pas de lui-même.

CORPS

C'est une qualité du vin qui tient à sa teneur en alcool par rapport à sa robe et à sa teneur en glycérine. Même un vin sucré peut manquer de corps par rapport à son besoin naturel.

CONCENTRÉS DE FRUITS

Extrait de fruits déshydraté et nettoyé de ses résidus de pulpe. On emploie ces concentrés pour faire du vin mais on doit en reconstituer le volume en ajoutant quatre parties d'eau.

CUVAISON

Étapes de fermentation du jus à l'aide d'acides, de levure et de nourriture de levure.
Elle est appelée *primaire* lorsqu'elle est en contact avec l'air. C'est la fermentation principale du vin. C'est à la suite de cette première étape que sera réussie ou manquée la cuvée.
On l'appelle *secondaire* lorsqu'après avoir siphonné le moût une première fois, on fixe à la cuve une bonde hydraulique pour empêcher l'air d'y entrer tout en permettant aux gaz de s'en échapper.
On appelle MALO-LACTIQUE une troisième fermentation qui survient lorsqu'on croit que le vin est terminé. Ce phénomène se produit surtout le printemps suivant la cuvaison primaire, au moment où l'acide malique du vin est transformé en acide lactique. On considère cette opération naturelle comme bénéfique lorsque le vin est acide. Souvent cette fermentation se produit après que le vin est

embouteillé et cela lui donne une très légère effervescence et un goût de fraîcheur extrêmement agréable.

CUVE DE FERMENTATION PRIMAIRE

Elle contient le raisin, les fruits ou les concentrés. La première fermentation s'y produit. Elle doit être plus grande que le contenu à cause de la grande force d'effervescence de fermentation. Dans les cas d'emploi de fruits, on se borne à la couvrir d'un plastique pour que le moût soit en contact avec l'air.
Dans les cas d'emploi de concentrés, on peut y fixer une bonde hydraulique dès le début de la fermentation bruyante.

CUVE DE FERMENTATION SECONDAIRE

Elle doit avoir une ouverture étroite afin de pouvoir y fixer une bonde hydraulique. Elle sert lorsque vous avez siphonné votre moût une première fois lorsque la densité a atteint 1000 ou 1030, selon la recette que vous employez.

DENSITÉ

Mesure du taux de sucre dans un liquide. L'eau donne une moyenne de densité de 1000. Lorsque vous faites du vin, vous employez du jus de fruit contenant du sucre et d'autres substances.
Avant la fermentation, la densité doit normalement être d'environ 1085. Après transformation du sucre en alcool, les vins secs doivent avoir une densité moindre que 1000.

DÉTERGENT

Substance commerciale nettoyante et stérilisante employée dans la préparation des bouteilles. Les détergents chlorés seulement doivent être employés dans les cas de fabrication du vin et plusieurs rinçages sont nécessaires car le chlore tue les ferments du vin.

DÉSOXYDANT

Acide antiscorbutique qui empêche le vin de s'oxyder après la mise en bouteille. On emploie généralement une capsule écrasée pour chaque gallon de vin à l'embouteillage.

ÉCHELLE PROOF

C'est une échelle qui est souvent trompeuse pour le néophyte car elle n'a pas la même base dans tous les pays.
Lorsqu'on parle de 100% Proof au Canada, en Angleterre, dans les colonies britanniques et les pays du Commonwealth, on veut dire qu'il y a 57.1% d'alcool en volume.
Si on inscrit 70% Proof, on veut dire 40% d'alcool en volume.
Aux États-Unis, 100% Proof = 50% d'alcool en volume.
Dans le présent ouvrage, nous n'employons que le terme de volume d'alcool.

GALLON

L'ex-gallon canadien toujours en circulation contenait 160 oz ou 4 ½ litres.

Le gallon américain contient 128 oz.
Le gallon de 4 litres = 142.2 onces

HYDROMÈTRE

Il est aussi appelé densimètre ou glucomètre.
C'est l'outil essentiel du fabricant de vin; il permet de mesurer la densité d'un liquide et son contenu en livres de sucre.

LEVURE

C'est un organisme vivant du type champignon qui, en se multipliant, transforme le sucre en alcool et qui, lorsqu'il a atteint son niveau de résistance à ce même alcool, cesse d'être actif.
Les levures de culture de vin font de meilleurs vins que les levures tout usage.

LIE

Sédiment de levure qui se dépose au fond des cuves de fermentation et des bouteilles de vin. Pendant la fermentation il est nécesssire de siphonner le moût afin de le séparer de cette sédimentation néfaste qui peut gâter le goût de votre vin fini.

MARC

Dans le cas de fabrication du vin à partir de raisin frais, c'est la pulpe qui demeure au fond du baril après que

vous avez soutiré le vin de goutte. C'est à partir du marc que l'on fabrique un second vin ou une piquette.
Si la piquette n'est pas voulue, on presse le marc pour en retirer tout le jus et faire un vin plus corsé et plus fruité.

MÉLANGE ACIDE

Voir *Acide*

MÉTABISULFITE

De sodium ou de potassium. C'est une substance qui produit de l'anhydride sulfureux qui est un stérilisant et un désoxydant. On l'emploie dans la fabrication du vin, le plus souvent sous forme de tablettes Campden.

MOÛT

Ce sont les fruits écrasés ou les concentrés additionnés des éléments de fabrication du vin.
C'est la substance de transformation qui précède le vin proprement dit.

MYCODERME

Organisme vivant de putréfaction qui se nourrit d'alcool et qui donne mauvais goût au vin.

NOURRITURE DE LEVURE

Sels de génération d'azote qui donne la vigueur à la levure qui s'en nourrit. Cette nourriture permet d'avoir un vin plus clair. On s'en sert pour faire un vin à partir de concentré mais jamais dans le cas de raisins frais.

PECTINASE OU ENZYME PECTIQUE

C'est un enzyme qui détruit la pectine du fruit, libérant le jus du raisin et ajoutant à la robe du vin.
On la retrouve dans les fruits mûrs. Lorsqu'on fait un vin à partir de fruits autres que le raisin *Vinifera*, on doit en ajouter.

PECTINE

Substance qui se retrouve dans les fruits et qui rend les vins troubles. Cette substance est éliminée par la pectinase ou l'enzyme pectique.

P.H.

Mesure de la réaction d'acidité et d'alcalinité d'un liquide ou d'une substance quelconque.

POTENTIEL D'ALCOOL

L'estimation qu'on fait de la teneur possible de transformation du sucre en alcool, relativement au taux de sucre contenu dans le moût.

PRESSOIR

Appareil à extraire le jus de la pulpe des fruits.

PYCNOMÈTRE OU ÉPROUVETTE

Appareil (contenant) de verre ou de plastique dans lequel flotte l'hydromètre pour mesurer la densité.

SIPHONNAGE OU SOUTIRAGE

L'action de siphonner le vin d'une cuve à une autre en y laissant la sédimentation de lie afin de protéger le goût et de clarifier le liquide.

STABILISANT

Acide sorbique non toxique. C'est un produit chimique qui n'a aucun goût et qu'on ajoute lorsqu'on sucre un vin ou qu'on le coupe d'un autre vin. Cet acide n'arrête pas la fermentation active du vin mais empêchera un renouveau de fermentation. Par exemple, lorsqu'on ajoute du sucre pour faire un vin doux, cet acide empêchera la reprise de la fermentation dans la bouteille.
On ne l'emploie que pour les vins sucrés.

SULFITAGE

C'est l'emploi d'anhydride sulfureux dans la fabrication du vin.

TABLETTES CAMPDEN

Tablettes de métabisulfite de potasse qui, dissoutes dans le moût ou le vin, libèrent l'anhydride sulfureux qui agit comme stérilisant et désoxydant.

TANIN

Le tanin se retrouve dans les pépins du raisin, dans les rafles (grappes) et dans le bois de chêne des barils.
Il donne une saveur au vin et aide à le conserver.
Il aide aussi à la clarification du vin après la fin de la fermentation. Sans tanin vous obtiendriez un vin trouble. Il faut toujours en ajouter lorsque vous faites du vin à partir de concentrés.

TÉTEUR OU TASTE-VIN OU VOLEUR

Pipette de soutirage du vin pour en faire l'analyse ou la vérification de visu.

TONNEAU

Baril de chêne blanc utilisé pour la fermentation et le vieillissement du vin.

TOURIE

Contenant de verre ou de plastique à goulot étroit permettant d'y fixer une bonde hydraulique. La tourie peut avoir de 4 à 15 gallons. La tourie est une cruche de fermentation secondaire.

VIEILLISSEMENT

Modification du vin qui survient après la fin de la fermentation. C'est un processus bénéfique.

VIN BLANC

Il n'est ni rouge ni rosé mais il n'est pas blanc non plus. Il est de couleur ambre, jaune, paille ou brun mais jamais blanc, ne l'oubliez pas.

VIN D'APRÈS REPAS

Vin alcoolisé, sucré que l'on boit après le repas.
Porto, Muscat, Malaga.

VIN DE DESSERT

Vin doux du type Sauternes ou Moselle et que l'on boit avec le dernier service de table.

VIN DE GOUTTE

Le vin que l'on soutire de la cuve de fermentation primaire avant d'avoir pressé le marc pour en prendre l'épais et le sucre.

VIN ROSÉ

Ce qu'avec préjugé je ne peux appeler du vin.
N'est ni blanc ni rouge.

VIN DE TABLE

Vin sec accompagnant le repas. Est blanc ou rouge.

VIN DOUX

Vin qui contient 1% ou plus de sucre non fermenté. (Lorsque l'hydromètre marque plus de 1000.)

VIN MOUSSEUX

Vin qui contient du gaz carbonique (CO_2).
Lorsqu'on débouche la bouteille, il mousse.

VIN SEC

Vin qui contient moins de 1% de sucre résiduel après la fin de la fermentation.

TYPES DE VERRES À VIN

Les vins sont tellement meilleurs dans des verres appropriés. Le vin rouge se sert dans un grand ballon et le blanc dans des coupes allongées. Le Champagne dans des flûtes.

SOMMAIRE

Notes

Notes

Notes

Notes

Notes

Notes

Notes

Notes

Notes

Achevé d'imprimer
0201187